幽靈路——三部曲之三

Pat Barker
The Ghost Road

派特・巴克——著
宋瑛堂——譯

謹獻給David

如今條條道路法國通
活人舉足艱
死人舞步翩
重返陽世蒼穹

——〈路〉，艾德華．湯瑪斯①

①艾德華．湯瑪斯（Edward Thomas，1878-1917）。

目錄

第一部 005
第二部 103
第三部 181
作者後記 245
總導讀
幽靈的凝視——談派特．巴克《重生》三部曲 張淑麗 247
閱讀指南
閱讀《幽靈路》 王新元 256

第一部

第一章

摺疊椅擺滿水濱，上面坐著布拉福市生意人，露出無毛的粉紅膝蓋與驕陽親熱。比利．普萊爾倚著海堤站著，下方十到十二呎處有一家人，正在收拾物品，準備走回寄宿屋或火車站。這家人包括一位中年胖女人，穿著紮鞋帶的鞋子，包不住肥腳的脂肪；一位中年神職人員，頭頂剃光一片圓禿，被曬成熟龍蝦色——天啊，保證他明天後悔莫及；另外有一位妙齡女子，正拿著毛巾擦乾小男童的身體。男童站著，小雄蕊隨著身體搖晃，張嘴成正方形喊疼：「媽——媽。」麻煩在於沙子。普萊爾記得，沙子總是趕不走。戲水後上岸，無論再怎麼踮腳尖，雙腿又被沙子覆蓋，拿毛巾擦拭一定叫痛。

男童蠕動掙扎，母親重摑他一下，在胖嘟嘟的臀部留下五指紅印。他停止喊痛，訝然哽咽，動作緩和成不停碎動。中年婦人抗議說：「喂，露伊，沒必要打小孩吧。」她搶走毛巾。「過來這裡。妳呀，一點耐性也沒有。」

女子乍看之下年輕，其實是年約二十五、六的少婦。她向後退，面露憎惡卻如釋重負的神色。

旁人一眼就能看出她的問題癥結。她雖已婚，卻因戰爭而守寡，或因丈夫滯留戰場，被迫屈居娘家接受監護，人生何其苦？熱呼呼的精液順著大腿流下，挺著肚子連續幾個月，小孩隨著汩汩鮮血降生——嘗過種種苦頭，卻無權坐享女人獨立自主的地位，豈有此理？此外，挫折感也日日蹂躪她。又睡少女時期的單人床，或與小孩同睡雙人床，聽著隔壁父母床上傳來的鼾聲、吱嘎聲、放屁聲。

她在手提包裡翻找，挖出公車票、梳子、皮包，總算撈到一包忍冬香菸。濕香菸叼在下唇，她伸手找火柴。她的唇形豐腴，中間的色澤是淡淡的鮭紅，愈靠近嘴角，色調愈暗沉成褐紅。她往上一瞧，瞥見普萊爾正在看她，面紅耳赤起來，並非她按捺不住欣喜，因爲普萊爾的色相太明目張膽了，芳心反而不會受寵若驚。臉紅的原因是她憶起無拘無束的少女情懷。

少婦的母親正在幫小男童穿內褲。男孩一手按在她寬厚的肩膀上，皺皺的小手如海星。劃火柴的聲音吸引她的注意。「拜託啊，露伊，」她劈頭罵，「看看妳，一副中下階級的模樣……」

露伊的視線不曾移動。中年婦女轉身，瞇眼望日，見到的是典型軍官的身影輪廓。若在戰場上，德國軍官會告訴狙擊兵：「瞄準膝蓋比較瘦的對象。」但在此地，這位中年婦女見到的不是獵物，而是猛獸。倘使普萊爾是基層兵，她會問他看什麼看。但這時候她說：「今天的天氣不錯吧，長官。」

普萊爾微笑著，心裡覺得好笑，因爲母親也有類似的語調——勞工模仿中上階級的口音。他回應說：「希望好天氣能延續。」

他拉拉小帽，邊後退邊想，少婦不是寡婦，身分也非已婚。她的母親提到「中下階級」一詞時岔了嗓，語氣充滿恐慌，道盡女兒的辛酸。露伊即使生過小孩，兩腿絕對非合得張不開。而她的母親罵得有理，一菸叼在嘴裡，她確實顯得平庸。轟轟烈烈、驚天動地、值得一操的平庸。

該回軍營了。離體檢的時間不到一小時，如果氣喘吁吁趕過去見醫官，對他自己絕對不利。蹓躂海邊欣賞女孩是浪費光陰，但他照看不誤，以眼遍嘗裸臂上的金毛，眺望著束腹擠出的深藍乳溝，吸取汗臭強化的薰衣草香。

遊樂場裡廣播著音樂，將他引向入口駐足。今天到目前為止，他看見的年輕男子各個穿軍服，但在遊樂場門口，他見到幾個穿便服的男子，與他同樣年輕。軍火工人。其中一人正在與一位年輕女子聊天，女子的皮膚呈鮮黃色。他不由得一陣胃液逆流，轉頭，逼自己對著光禿禿的草地冥想。一個小女童拿著棉花糖，轉身望著他，因為到處是迴旋繽紛的景物，站得文風不動的只有這一人。普萊爾迎上她的眼光，對她微笑，回想起軟綿綿的甜絲附著口腔上壁那種黏糊糊的滋味。她生氣了，轉頭回去，拉住母親的裙子。普萊爾心想，非常懂事。

他繼續走著，笑容消退了。他想到，當初不從軍的話，現在也是軍火工人，不必冒險上戰場，口袋賺滿黑心錢。父親會為他在免役業裡安插一份安穩的閒差事，也不會像多數人的父親因此鄙視他。像普萊爾這種弱不禁風的小兔崽子，至少能表現得像合乎情理的柔弱兔崽子，拒絕為「大老們」打仗。但普萊爾從未認眞考慮走拒戰的路。

爲什麼不呢？他這時納悶。因爲我不想成爲他們那種人。他想起一位軍火工扶著女孩坐上鞦韆船，一手拍拍女孩的臀部。不拒絕從軍的主因不是基於職責感或愛國情操，也絕對不是唯恐被人看扁。原因是某種……潔癖。幼年的他有一次吃羊肉，肥肉嚥不下去，嚼了幾下吐出來，偷偷放進長褲的口袋，罪行眞相大白之後，父親以洪鐘般的口吻臭罵，「臭小子太挑三揀四，活不下去。」普萊爾這時想著，太挑三揀四，活不下去。法國戰場遠在天邊，墓誌銘卻早已寫好，擺在眼前。想到這裡，他的心情大爲振奮。

他踏上前往軍營的上坡路，走得胸腔緊縮，但他仍能勉強應付。近幾個月來，他的氣喘病穩定不少，不怕面對體檢，但爲保險起見，他想提早到場，先納涼幾分鐘，然後才進去體檢室。用盡心機後，他只能以尚可的狀況接受體檢，據實回答醫官的詢問（至少避談可能被揭穿的謊言）。決定權握在別人手上。向來如此。

話雖這麼說，他自己倒是握過一項決定權。

思緒轉向查爾斯．曼寧，憶起兩人在倫敦共度的最後一夜。

曼寧當時問他，假如你體檢沒過，無法歸建，結果會怎樣，你想過嗎？六個月，至少六個月，大概一直待到戰爭結束，看緊新兵，確定他們的腳趾之間有沒有洗乾淨。

——有福可享也說不定。

——做一百零一件例行公事，阿貓阿狗都辦得好的事。你待在軍火部上班比較好。我不能保證這份工作能爲你保留下去。

——不用了，謝謝你，查爾斯。

不用了，謝謝你。普萊爾路過克拉侖斯庭園大飯店。去年被調去倫敦之前，他冬天曾在這裡短暫駐紮過一陣子。這裡的例行公事多得是。瘋人院的院友歐文與他同一天報到，兩人同樣不受指揮官米契爾歡迎，被指派擔任「輕勤務」。普萊爾的任務是文書雜役，負責爲本營紊亂的歸檔系統整理出頭緒。歐文的命運比他更糟，奉命去指揮打雜的女傭，訂購蔬菜，檢查馬桶是否殘留清潔不夠精實的污垢。指揮官把他們盯慘了。指揮官在上午惡毒到最高點，由普萊爾承受；晚上有白蘭地的薰陶，指揮官的脾氣稍減，歐文比較輕鬆。

歐文發牢騷時，普萊爾說：你要替他著想。他死了兩個兒子，頂替兒子的卻是蘇格蘭瘋人院來的兩個抽抽抖抖的娘娘腔。

歐文不語。

——他的想法的確是這樣，你知道吧。

普萊爾抵達軍營的入口，一群軍人正好越野長跑歸營，穿著汗衫與短褲，從他身旁跑過去，他後退幾步讓路。他們的大腿沾滿泥濘，蒸氣從汗濕的胸膛、空泛的眼睛和合不攏的嘴冒出，一群人喘著氣，砰砰地跑步通過。他認出帶頭的人是歐文，轉身向歐文揮手。

「天哪，」醫官梅瑟爾看著脫衣中的普萊爾說。「你不常從事戶外運動，對吧？」

「我在軍火部上班。」

醫官是中年人，臉頰有深紋，頭髮是沙黃色，頭腦精明。

「好，脫掉內褲。彎腰。」

醫官老是瞄準屁股，普萊爾嘀咕著，照指示彎腰。軍人飽腹利於行軍，長痔瘡則會跛腳。他感覺醫官伸出帶著手套的指頭，扳開兩邊。普萊爾心想，比你優質的男人爲這東西付過錢。

「原來你有氣喘病。」

看我屁股就知道？「是的，長官。」

「轉過來。」

又是親暱過度的舉動。

「咳嗽。」

普萊爾清一清嗓子。

「我說咳嗽。」手指掐一掐。「再咳一次。」手換邊捏。「再一次。」

普萊爾喘過氣時，察覺呼吸帶有咻聲。

「多久了？」

普萊爾一臉茫然，然後結巴說：「六個月，長官。」

「六個月？可是，這上面寫——」

「我是說，醫生告訴我母親，我六個月大就有這毛病了，長官。」

「啊。」梅瑟爾翻至檔案中的一頁。「這才比較像話。」

「據說我的胃腸受不了乳製品。」

醫官抬頭看他。「以前是個毛病多多的小混帳，對吧？好，我來聽聽看。」醫官取來聽診器，走向普萊爾。「你以前在軍火部做什麼工作？」

「情報，長官。」

「喔——，刮目相看。逮過什麼人嗎？」

普萊爾神情惆悵，兩眼直視前方。「有。」

「哼，這裡的巡邏在峭壁抓到一個德國間諜。」醫官邊說邊戴上聽診器。「倒比較像拿刺刀挑出一個本地粗人。」

普萊爾正想說話，但醫官開始聆聽他的胸音。幾分鐘後，他直起身子。「對，你是有一點咻聲。」醫官的注意力被普萊爾手肘上的疤痕吸引過去。普萊爾把傷疤轉向他。

「索姆河戰役。」普萊爾說。

「一定很痛吧。」

「傷到俗稱笑骨的尺神經，當時一點也不好笑。」

醫官轉回辦公桌坐下。「接下來，我想問清楚幾件事。你是因爲彈震症而被判定不適役，回國休養，對不對？在去年四月？」

「是的，長官。」

「你最初被送到奈特立，然後轉往奎葛洛卡戰時醫院，一直待到……十一月。」醫官抬頭看他。「在那種地方，應該很多嗜酒狂吧？酒啊，小子。」他解釋，因爲普萊爾又一臉茫然。

「我沒看到過，長官。假如我看到，我一定會喝。」

「你當時的症狀有哪些？」

「我講不出話，長官。有些人覺得是一種進步。」

醫官埋首閱讀，沒聽見冷笑話。「W·H·R·瑞佛斯，」他說。「我認識他。他在巴茲醫院是大我兩屆的學長。痲痺性口吃。」

普萊爾面露疑色。「哪有？」

「呃？他自己的言語也恢復正常了。他一定很行吧。」他拍拍一張紙。「出院報告註明是氣喘病。」

「我在那裡發作過兩次。」

「嗯。」醫官微笑。「現在神經還有問題嗎？」

「沒有了。」

「食慾呢？」

「吃不飽。」

「大家不都一樣嗎，小子。睡得好不好？」

「昨晚睡不好。該死的帳篷漏雨。」

「平常呢？」

「睡得還好。」

醫官往後坐。「你是怎麼進來的？」

「掀開屏風鑽進來的。」

醫官猛然伸出食指。「當心一點，小子。你是怎麼進陸軍的？」

普萊爾與誘惑短暫拔河一陣，最後以尋常的結果收場。「我對醫官說謊，醫官。」

令人意外的是，梅瑟爾短促吠笑一聲。

「大家都撒謊。」普萊爾說。

「是啊，我記得很清楚。我見過幾個人爬濟貧院保健室窗戶溜來報名。梅毒、癲癇、結核病、軟骨症。有個小孩，嗓子細又尖，下巴一根毛也沒有，頂多十四歲，他竟敢瞪著我，以母親的性命發誓說他十九歲。」醫官微笑，露出褐色的牙齒。「一個都逃不過我的檢查。」

慘了。

「毒氣訓練。」醫官說。

沉默。

「怎樣？」

「這構想棒透了。」普萊爾積極地說。

「你走過毒氣室嗎？」

「沒有。」

「你在濃度非常低的時候就有反應，對吧？」

「在部隊裡，我的綽號是本營金絲雀，長官。另一個原因是我個性和氣、樂觀。」

醫官看著他。「把衣服穿上。」

「重點是，三年來，我沒有發病過一次，氣喘沒發作過，也沒被毒氣影響過。」

「瞭解，小子。」醫官顯示出人意外的同情。「不怕別人說你沒盡義務。」

蒼白、驕傲的臉上出現一小陣抽搐。「我不會自稱盡了義務。」

「在法國戰場上，氣喘從來沒發作過嗎？」

「一次也沒有。」

「在奎葛洛卡發作過兩次。在法國沒有。我猜不透原因。」

「空氣流通的生活適合我的胸腔，長官。」

「小子，本院不是療養院。快去著裝。進走廊後向左轉，到盡頭再左轉，就會看見一排椅子。你坐在那裡等。」

醫官走進隔壁，開始檢查下一個倒楣鬼。普萊爾穿好衣服，動作稍停，擦拭上唇的汗水，心想，就像壕外進擊戰。不對。天下沒有一種狀況像壕外進擊戰。最近，壕外戰蔚為老百姓的口頭禪，大家動不動就說，我昨晚打了一小場「壕外戰」，意思是多喝了一杯波特酒。普萊爾照著洗手臺後方的小鏡子，檢查領結。假如軍方不准他歸建，他受困在這群油嘴滑舌的死老百姓之間，肯定寂寞得半死。鏡中人譏諷著：寂寞？你？唉，少來了，相公。把你另一個人格變出來，不就有人作陪了？幸好醫評會不知道這毛病。前提是瑞佛斯沒有據實寫報告。痲痺性口吃症。不僅僅是一般口吃症。而是痲痺性。有意思，普萊爾思忖著，開門走出診療室。

這裡的氣味像軍營。呃，這裡確實是軍營沒錯。應該說，與克拉侖斯庭園大飯店對照之下，這裡更有軍營味。克拉侖斯庭園被軍方徵用數月之後，依舊沒有這種氣息。普萊爾的鼻頭動了動，辨別出胳肢窩、腳丫、襪子、髮油、鞋油、石碳酸皂的氣味。肥皂泡飄過來。有個男孩正在刷洗地板，泡泡從幾乎破皮的手指之間飄散。臀部像卡車，臉也不比卡車美到哪裡，但普萊爾擠出迷人的笑容，因為對他自己有好處，然後大步走開，在濕地板留下一長串的泥印。

等候室裡有一人。歐文。

「O和P又重逢了，」歐文說。旁邊有個空位，擺著一疊《約翰牛》的戰爭雜誌，歐文把雜誌扔到地上。上次見面時是在奎葛洛卡，兩人等著接受醫評會的最後審核。

普萊爾扭頭向著辦公室門口。「誰在裡面？」

「尼斯比。進去三十分鐘了。」

「爲什麼審核這麼久？」

歐文遲疑一陣，然後以嘴形說：「淋病。」

普萊爾在心裡悶哼一聲，心想，染性病也能逃兵。他旋即暗罵自己，你這個沒有慈悲心的雜種，怎麼曉得人家是不是故意被傳染？他繼而又想到，哼，我確實是個沒有慈悲心的雜種。

「我不會拖太久的，」歐文說。「我已經是普通役了。」

「那你幹嘛來？」

「心律不整。我報名從軍，接受完最後一次體檢，馬上被除名。」

「你報名從軍？果然是心病喔。」

歐文呵呵笑著，偏開視線。「那時我剛聽說薩松受傷了，覺得自己只有從軍一途。」

普萊爾心想，對呀，別無他法。想當初在奎葛洛卡，薩松與歐文一高一矮，落差懸殊，歐文無法或懶得掩飾對薩松的愛慕。

「另一個原因是，」歐文說，「老被認爲是蘇格蘭瘋人院來的『抽抽抖抖的娘娘腔』，煩死了。」

普萊爾微笑。「我自認是同一種人。」

他留意到，歐文刮鬍子時割傷自己，在臉頰與耳垂之間留下一道鮮褐色的凝血。

「你認爲這次會沒事嗎？」

歐文愉悅地說：「那當然，我認爲會沒事。我現在常常跑步。」

「我剛看見了。」

門打開。尼斯比走出來，臉色明顯蒼白。

歐文站起來。「委員叫我進去嗎？」

「不知道。」

歐文坐回椅子。「比看牙醫還痛苦，對不對？」說著勉強一笑。

幾分鐘後，委員叫歐文進去。普萊爾坐著聆聽模糊的交談聲，心想，被梅瑟爾檢查到，運氣背到底了。有些醫官即使檢查到死屍，照樣判定歸建，特別是目前軍方推動「最後一役」，同樣的口號反覆喊了幾次，可見兵源告急。陡然間，在普萊爾做好心理準備之前，門又開啓，歐文走出來。

歐文開口想講話，發現祕書跟著出門，因此閉嘴改豎拇指。從他的手勢，普萊爾得知，在年底之前，歐文發生以下狀況之一的機率大幅提升：盲、聾、啞、癱瘓、大小便失禁、精神異常、腦殘。如果歐文的運氣好，戰死反而比較輕鬆。普萊爾邊跟著祕書進門，一邊想著，這裡的人各個是瘋子啊。他向委員敬禮，在長桌只有一張椅子的一側坐下，向對面的委員逐一行注目禮，態度自信又不是太自信。說實在話，在人人皆瘋的情形下，審核到一個不勝高壓而衍生雙重人格的病患，就因此懲罰他，這樣做，公平嗎？換一個角度看，軍隊叫普萊爾歸建，等於是徵召到兩員，豈不是撿到便宜？

回答完最初幾道問題之後，普萊爾開始放輕鬆。委員的問題集中在他的氣喘病與暴露於毒氣的風險。面對這些問題，普萊爾一語回應，令人心服口服：出征法國三回，一次也沒有因氣喘病被宣布不適役而遣返。戰壕熱，有；戰傷，有；彈震症，有。氣喘病，一次也沒有。

最後一次問答完畢之後，米契爾收拾面前的文件，攏成整齊的一疊。普萊爾看著白色的大手動作著，手的表皮點綴著老人斑，外緣有手毛的黑影。

「好，」米契爾最後說，「我想，這樣就……」

話說到一半，停頓太久，普萊爾不禁懷疑，他究竟會不會講完整句話。

「你的氣喘病其實很嚴重，只是你表現得若無其事，對不對？」他拍一拍出院報告。「這份報告是這樣寫的。」

「在奎葛洛卡期間確實很嚴重，長官。不過我能誠實保證，在法國戰場上，從來不如住院期間嚴重。」

「這嘛，」米契爾說。「審核結果下午出爐。」他匆匆微笑一下。「你不會久等。」

第二章

在七號病房的一端，牆上裝飾著但涅爾（譯註：Tenniel，1820-1914，英國插畫家）的插圖複製品，印刷技術粗糙，內容取自《愛麗絲夢遊仙境》一書，因爲在承平時期，這裡是兒童醫院。一幅是在自己哭成的淚海裡游泳的袖珍愛麗絲，一幅是如同伸縮望遠鏡長高到九呎的愛麗絲，一幅是大到一手長出窗外的愛麗絲。最醒目的一幅則是蟒蛇頸的愛麗絲，脖子在樹梢上空蜷曲。

在瑞佛斯的背後，一架吱嘎叫的推車逐床逗留，收走病患的早餐。

「快一點，麥克布萊德上尉，快喝光嘛，」羅勃茲修女說，朝氣蓬勃地走過瑞佛斯背後。「我們沒閒工夫伺候你。」

這句話說得嘹亮，爲的是讓瑞佛斯聽得見。瑞佛斯太早抵達病房了，工作人員措手不及。

「你認識他，對不對？」艾略特．史密斯邊說邊走向他，從他背後望著複製畫。

瑞佛斯臉上有問號。

「路易斯．卡羅（譯註：Lewis Carroll，1832-98，《愛麗絲夢遊仙境》的作者）。」

「喔，對。認識。」

「他是怎樣的人？」

瑞佛斯攤一攤雙手。

「你欣賞他嗎？」

「我認爲我非常想討好他，不過沒成功。」微微一笑。「最不夠格回答你這問題的人應該是我吧。」

艾略特．史密斯指向蛇頸。「這畫很有意思吧？」

「準備好了，瑞佛斯上尉。」羅勃茲修女說。兩人看著她邁步離開。

「『上尉』。」艾略特．史密斯喃喃說。

「我倒大楣囉，」瑞佛斯說。「只有在她看我順眼的時候，她才尊稱我『醫師』。」

被屏風圍住的病患是伊恩．墨斐特，躺在病床上，腰部以下赤裸，神態叛逆、緊張，充滿脆弱而虛張的傲氣，蒼白的皮膚略帶綠色，可能是綠屏風映染出的色澤。屏風圍出一片天地，猶如住滿奧祕生物的石塘。瑞佛斯推開一道屏風，好讓窗外的日光灑進來。墨斐特的雙腿伸展在床單上，被日光一照，宛如兩大條廉價的鱈魚肉，呈濃稠的灰白色。脊椎傷患常見肌肉萎縮的現象，墨斐特的腿肌只顯得鬆弛，但他已有三個多月不良於行。以歇斯底里性癱瘓病人而言，延續三個月太久了，有異於常態。

單從一個角度來看，墨斐特的病史很單純。墨斐特在前往最前線的途中，聽見有生以來第一陣槍砲聲，不久後「暈眩倒地不起」。後來恢復意識了，兩腿從此無法動作。

瑞佛斯首次輔導他時，他說：「指望我上前線，太扯了吧。我受不了噪音。如果室內有人開香檳，我絕對待不住。」

瑞佛斯當時聽了暗罵，你這個可憐的飯桶，憐憫心與驚奇兼俱。在瑞佛斯輔導過的病患當中，墨斐特最能刺激他差點脫口說出：「爭氣一點呀，男子漢。」

瑞佛斯把話吞進去，問他：「當初怎麼不申請免役？」

墨斐特望著他，彷彿因拿刀子戳豌豆吃而挨罵。「又不是和平主義分子。」

治療墨斐特，瑞佛斯試遍了所有療法。不對，不能說「所有」。舉例而言，他尚未試過電療法。假如主治醫師是耶蘭，他肯定早就在墨斐特的雙腿貼上電極，通電治療。此外，瑞佛斯也沒試過鐳管療法——會在皮膚留下灼傷。瑞佛斯也未曾對他施打乙醚針。爲了把軍人送回前線或不讓軍人返國，醫師會對病患採用上述的療法。瑞佛斯甚至沒有對墨斐特催眠過。瑞佛斯確實試過的方法是動之以理。瑞佛斯不喜歡他今天想進行的療法，但他日漸明瞭到一個道理，墨斐特對肢體症狀的依賴性一天不除，再怎麼動之以理，也不會有痊癒的一天。

「我想做什麼，你明白嗎？」瑞佛斯這時問。

「我知道你想做什麼。」

瑞佛斯微笑。「知道？好，告訴我。」

「嗯，就我所知，你……呃……想拿筆畫……」墨斐特口鼻兩旁的微細肌肉抽動著，令他看似一隻高傲的兔子。「畫……長襪鬆緊帶的線？在我腿上。畫在這裡。」墨斐特以細緻的手，指向大腿頂端，橫向畫出兩道線。「然後呢，你打算……呃……每天向下移一些，重新畫線，揣摩長襪越穿越低的現象，意味著……呃……癱瘓會……」筋肉大肆抽搐一陣。「撤退。」

「沒錯。」

墨斐特的語調滿是輕蔑。「你認定這種方法有效？」

瑞佛斯望穿他的瞳孔，聚精會神到只見黑色。「毫無疑問。」

墨斐特瞪了他一會兒，然後轉頭。

「可以開始了嗎？」瑞佛斯抬起墨斐特的左腿，開始在皮膚畫一道粗黑線，畫在鼠蹊以下兩吋的地方。

「該不會擦不掉吧？」

「當然擦得掉。明天早上非洗掉不可。」

瑞佛斯看著墨斐特整條腿，估計著多久能畫到腳趾。兩星期？這樣一來，非把星期日算在內不可，他週末去拉姆斯蓋特鎮探望胞妹的計畫勢必泡湯。么妹凱瑟琳的狀況不樂觀，幾乎是無法下床，原因與墨斐特差不多。瑞佛斯拿著鉛筆，專心在大腿畫線，神情專注得皺著眉頭。墨斐特的皮膚鬆垮，一直絆住筆尖。

艾略特．史密斯對蟒蛇頸的感想：「有意思。」瑞佛斯當時也有相同的想法。顯然蛇已經喪失「純粹是蛇」的權利。瑞佛斯童年時，道季森怕蛇，強烈排斥到了無與倫比的程度，而瑞佛斯的老家諾斯邦克多的是蛇，尤其是在春季，冬眠初醒的蝰蛇滿地爬，有時三、四十條交纏在一起是常有的事。有一次，全家外出散步，大妹伊莎與小妹凱瑟琳各自牽著道季森的一隻手，他與弟弟查爾斯跟在後面，模仿道季森那種矯揉似便祕母雞的步態，同時提防被父親逮到。繞過一處彎道時，道季森牽著兩個妹妹走在前面，赫然看見步道正中央有一條蛇，蛇身有「Z」字形的黃底黑紋，眼睛是橙色，吐著蛇信，大嘴的態度刻薄（擬人化的無稽之談）。道季森頓時血色盡失。他坐下來，嚴格說來是暈倒，坐在樹樁上，妹妹拿著帽子替他搧風，父親則拿一根分岔的樹枝，把蛇勾起來扔走。蛇身在空中形成黑色的S形，降落時打直。

事後，瑞佛斯回去找蛇，在茂盛的蕨類植物叢裡翻找一小時，卻只在岩石上發現一副蛻皮留下的透明空殼，鮮艷的花紋褪色了，徒留蛇魂。

為什麼魔鬼化身為蛇？他問父親，因為他只懂得問這問題。日後他也問了其他問題，也另有尋求解答的途徑。有一次，他週末回家，凱瑟琳去外面玩，不小心坐到一條蛇，驚叫著衝回家。他急忙出門，想殺蛇帶回巴茲醫院解剖。他以為蛇死了，回家時看見全家坐在大客廳裡，把蛇倒在壁爐前的地毯上，讓大家看，結果蝰蛇居然活得好好的。兩個妹妹嚇得尖叫，躲在沙發後面，弟弟、父親與他趕緊把蛇踩死。

現在回首，你有何感想？瑞佛斯邊想邊開始在大腿畫第二圈。也許每一代的人都認為下一代變得太多，無法辨識，但瑞佛斯認爲，以他這一代——當然包括墨斐特——而言，兩代想深交是異常地艱難。近年來，人心喪失了不少純眞。並非所有純眞是在戰場上喪失的。

他放下墨斐特的腿，繞向病床另一邊，從這裡透過屏風的縫隙，看得見愛麗絲的複製圖。他把墨斐特痲痺的腿按在自己的腰際，繼續畫完圓圈，這時領悟到，牆上掛的圖畫不能斥之爲兒童病房流傳下來的裝飾品。這些畫掛在當前的病房裡，其實貼切得殘酷蠻橫。肢體再三變形，導致問題層出不窮。然而，形變也能化解問題。愛麗絲夢遊歇（斯底里）境。

「好了，」瑞佛斯說著，把墨斐特的腿放下。「你可不可以稍微撐起上身？」

墨斐特以雙肘支撐，望向自己的腿。「排除其他想法不談，」他說得字字清晰分明，「這看起來淫穢得不得了。」

瑞佛斯也向下看。「是——的，」他贊同。「但是，漸漸往下畫到膝蓋，就不會覺得淫穢了。而且，明天，這一區的知覺」——瑞佛斯以食指比畫著——「會恢復正常。」

兩人的視線相交。墨斐特原想駁斥，但他轉開目光。他已經開始對腿上的圓圈賦予力量。

瑞佛斯碰碰他的肩膀。「明天早上見。」他說。

瑞佛斯快步走，飛奔下樓梯，鑽進一條又一條的走廊，希望仍有時間在第一位病患抵達之前，閱讀新病患的檔案。他看手錶，這動作觸動了他記憶的某一部分。一個天眞的小男生漸漸意識到，自己成了某個大人反常愛慕的對象。坦白而言，查爾斯．道——道——道——Do——道季森牧師總是纏著他，幸好道季森是正人君子，良心至上，並未對他伸出魔掌。幾年之後，小瑞佛斯進入青春期，這一段忘年之交的友誼逐漸淡去。同一個小孩進入成年後，不見異常狀況，例外的一點是，或許有點難以將性慾融入人格裡吧。（「或許」是什麼意思？他自問。）後來進入中年期，病患才開始產生幻覺，以爲自己即將變成奇裝異服的巨無霸白兔，永遠在走廊裡飛奔，頻頻看手錶。多麼特別的病史啊。可惜，他心想，這種現象沒有發生過。他推開門，進入輔導室。假如眞有這種現象，意義非比尋常。

他想著，有時候，他對凱瑟琳的童年的瞭解比他自己更透徹。

小時候，凱瑟琳以女王的姿態，坐在道季森的大腿上，笑得合不攏嘴，小瑞佛斯與弟弟則高呼她的綽號，**柴郡貓**（Cheshire Cat）！**柴郡貓**！「貓」與「凱瑟琳」的小名Kath相近。隨興取的這綽號叫習慣了，喊遍她的童年期，她卻絲毫不在意，這是値得他安慰的唯一一點。可憐的凱瑟琳，她長大後，令她微笑的事物不多。

讀檔案，他告訴自己，從公事包取出檔案，開始閱讀。傑夫瑞．萬茲貝克，現年二十二。萬茲貝克曾經——呃，用哪個動詞才好？**謀殺**吧——一名德軍戰俘，只因（根據萬茲貝克的說法）他既累又煩，不想押送戰俘回我方戰線。殺害戰俘之後八個月間——其實比較接近十個月——萬茲貝克無悔無怨。後來他因小傷住院，卻開始產生入眠期幻覺，半夜突然驚醒，發現德軍戰俘的鬼魂站在床邊。每次視幻覺一來，他必定嗅到腐屍臭味。同樣的情形持續幾星期之後，嗅幻覺開始單獨發生，不同的是，現在他覺得飄散臭味的源頭是他自己的身體。他深信別人也嗅得到，儘管旁人再三保證沒聞到臭味，但他聽不進去，從此儘量避免與他人近距離接觸。

嗯——。瑞佛斯摘下眼鏡，揉眼睛，坐著旋轉椅轉向窗戶。他昨夜沒睡好，現在難以集中精神。八月下旬的日光呈蘋果酒的色澤，流入輔導室，一陣哀傷霎時扣住他的心弦，一陣平庸而隨時節變遷的沉痛，傷心的是逝去的夏季以及之前的每年夏季。

有天晚餐時，道季森牧師靠向母親說：「我喜——喜——喜——喜歡所有咻——咻——小——小——小——」

「火車開不動。」弟弟查爾斯悄悄說。

「小孩，R——瑞佛斯夫——夫人，只——只——只——只要是女——女——女——女孩，我都喜歡。」

道季森瞪向桌尾的兩個男生，小瑞佛斯認爲，牧師被恨意衝擊之下，舌頭不再打結。

「男生是怪胎。」牧師說。

牧師不喜歡他們，弟弟查爾斯不在乎，但小瑞佛斯卻放在心上。在認識道季森牧師之前，小瑞佛斯從未碰到一個口吃同樣嚴重的成年人，因此牧師的排斥刺傷他幼小的心靈。

「我——我們是怪——怪——怪——怪——怪胎嗎？」他睡前問母親。「爲——爲什麼是——是——是？」

「你們當然不是怪胎。」母親說著爲他撩起額頭上的頭髮。

「那他——他爲——爲什麼說——說我——我——我——我——我們是？」

「我猜他只是比較喜歡女生吧。」

「可——可——可——可——可是，他爲——爲——爲什麼呢？」

萬茲貝克的眼睛紅腫，不知是哭過，或因感冒所致，難以判斷。

他又狂咳一陣，瑞佛斯等他咳完才問：「你知道，我們沒有非談不可的必要，改天等你感冒好了，再掛號也可以。」

萬茲貝克以手背擦抹紅鼻。「沒關係，我想現在解決。」他移動坐姿，伸舌舔舔龜裂的嘴唇，以焦躁的眼神環視室內。「可以開窗戶嗎？」

瑞佛斯面露訝異——雖然出大太陽，寒風依然冷冽——但他仍起身開窗，心知萬茲貝克有此要求，是因爲他怕聞到臭味。微風將網狀窗簾吸出窗縫，瑞佛斯坐回椅子上等候。

「我有一次撿到一支刺刀，用來戳屍體。那天我們通過一片樹林，在那之前發生過一場激戰。我記得刺刀是哪裡來的。那人死時一副痛到極點的表情。他的體形魁梧，膚色非常深，鼻子流了好多血，黑黑的，聚集了一群蒼蠅，擠成一種……嗡嗡響的小鬍子。我對他的印象比我殺死的戰俘還深刻。那時候，戰俘走在我前面，在他背後的我沒辦法下手，所以我叫他轉身。他一看就明白。我拿刺刀戳他，他慘叫，然後……我拔刀出來，再刺進去。又刺一刀。再刺。他倒在地上，我動手比較容易。他一直用德文說：『求求你、求求你（bitte），』雙手……」萬茲貝克舉起雙手，掌心朝外。「怪事是，我聽成英文，苦，苦（bitter）。我聽得懂，卻不知道涵義。」

他嘰嘰噥。

「知道涵義，會有什麼差別嗎？」

他嚓嚓嘴。

「你撿起刺刀的前一秒，想法是什麼？」

「沒有想法。」

「完全沒有？」

「我好想睡覺，而這個雜種戰俘害我沒得睡。」

「你在戰線守多久了？」

「十二天。」萬茲貝克搖頭。「不夠充分。」

「什麼不夠充分？」

「拿時間當藉口。」

「原因不是藉口。」

「不是？」

瑞佛斯深思著。「你認爲我幫得了什麼忙？」

「幫不上。恕我不敬。」

「甭談敬不敬了。」

萬茲貝克微笑。「那我就遵命囉。」他以手帕捂口，再猛咳一頓。「儘量不要傳染給你，至少我辦得到這一點。」

萬茲貝克的體格高壯過人，肩膀寬闊，胸肌挺拔。瑞佛斯估算他的身高、體重、肌肉彈性，留意到他的大手微微顫抖，左眼瞼有細微的抽動。從非醫學的角度來看，這具強健的肉身被粉碎了，瑞佛斯能領會箇中的悽楚，但他不明白自己爲何想到「被粉碎」這一詞，因爲客觀而言，萬茲貝克的身體受的苦只不過是重感冒而已。萬茲貝克的傷口復原良好。

「最早注意到臭味，是什麼時候的事？」

「住院的時候。唉，每個醫生都問臭味的事。我知道沒有臭味。」淡淡一笑。「只是我照樣嗅得到。」

「第一次是什麼時候？」

「住進小病房的時候。有三張病床。有個室友傷得很重，被一片砲彈的碎片插進背部。他姓傑薩普，姓什麼不重要啦。另一個室友的手臂受了一點小傷，看樣子快康復了，所以我知道，最後可能會剩下我和傑薩普兩人。傑薩普沒辦法動作。我開始擔心，因爲他動不了，而我知道假如我想殺他，我可以得逞。」

「你討厭他嗎？」

「一點也不。」

「所以原因只是他動不了？」

萬茲貝克思索片刻。「對。」

「後來，全病房剩下你和他嗎？」

「對。」

「結果呢？」

他發出一種介於哼與笑之間的聲音。「結果長夜難熬。」

「你當時想不想殺他？」

「想——」

「動動腦，思考一下。你是想殺他，或是擔心自己想殺他？」

沉默。「我不知道。有什麼差別？」

「差別很大。」

「擔心吧。我認爲。隔天，我問醫生能不能轉去大病房。回到你剛才的問題。我第一次注意到臭味，就是在隔天早上。」他沉默一大段時間，幾度欲言又止，最後說：「我告訴醫生，我不想跟傑薩普單獨睡一間，你猜醫生怎麼說？醫生說：『同性戀的衝動困擾你多久了？』」萬茲貝克隨便匆匆瞄一眼，但他無法掩飾怒意。「我才不想幹他，我是想殺他啊。」

「你和別人獨處的時候，還覺得困擾嗎？」

萬茲貝克左看右看一下。「能避免則避免。」

兩人相視微笑。萬茲貝克舉起一手摸脖子。

「喉嚨不舒服嗎？」

「有點痛。」

瑞佛斯走出辦公桌，手診他的內分泌腺。萬茲貝克直盯醫師的後方，表情緊繃，顯然臭味比平常嚴重。「對，是有點腫。」他摸摸萬茲貝克的額頭，然後爲他把脈。「我建議你上床休息。」

萬茲貝克點頭。「你知道嗎，我能分辨，那種臭味其實不存在，因爲我鼻子不通，什麼氣味都聞不到，卻還嗅得到那種臭味。」

瑞佛斯微笑。他開始欣賞萬茲貝克了。「轉告羅勃茲修女，說我吩咐你回床休養，有勞她替你量體溫。我過一陣子再去看你。」

走到門口，萬茲貝克轉身。「謝謝你沒說出口的話。」

「什麼話？」

「『死的不過是個德國佬嘛——假如我當家，我一定頒發動章獎勵你。不會有人爲了這事吊死你啦。』」

「你是說，有人對你講過這種話？」

「有啊。他們從沒想過的是，懲罰反而可能是一種解脫。」

瑞佛斯狠狠望著他。「自我懲罰？」

「不是。」

有千分之一秒的遲疑嗎？

「回床吧，」瑞佛斯說。「我待會兒就上樓。」

萬茲貝克離去後，瑞佛斯過去關窗戶，在窗前駐足片刻，望著男童在廣場上玩耍，尖嗓嬉鬧著，聲音像海鷗。

「我——我們是怪——怪——怪——怪胎嗎？爲——爲什麼是——是——是？」

「你們當然不是怪胎。」母親說著爲他撩起額頭上的頭髮。

「那他——他爲——爲什麼說——說我——我——我——我——我們是？」

「我猜他只是比較喜歡女生吧。」

「可——可——可——可——可是，他爲——爲——爲什麼呢？」

現在的瑞佛斯微笑著。我知道，他心想，我知道。問題啊，問題。

「男生比較粗暴，比較吵鬧。而且會打架。」

「可——可——可是，有時——時——時候非打不——不——不可啊。」

對。

第三章

普萊爾閒晃著，制服的袖子沿著海堤磨擦。他瞭望平坦而骯髒的白沙灘，看著潮來潮去。嘈雜的人群七嘴八舌，能在這裡圖個清靜，他的心情舒坦不少，不必再聽下一批徵兵誰會中獎，誰即將升遷，誰會被推薦成爲十字勳章候選人。路人見到他，視線移向他的胸前，然後轉向左袖。明信片、閒話、瑣事、扒糞、胡扯，全部甩到九霄雲外，他樂得輕鬆。

他即將返回法國戰場。他昨天整晚寫信，寫給莎拉、母親、查爾斯．曼寧、瑞佛斯。最後一封令他想起奎葛洛卡軍醫院，因此現在在他閒晃途中，憶起瑞佛斯的眼鏡上的反光，憶起網球場上永無休止的**啪—啪聲**。這種聲響不知不覺融入兩人的對話與沉默之中。法國往事宛如蛀牙，瑞佛斯每問一句，如同牙醫對著他的嘴拔牙，一顆接著一顆。

他即將歸建，不知瑞佛斯有何感想。感想不多吧。

天黑了，海堤下面的沙灘杳無人煙，軍火工人帶著女友走了。靠戰爭發橫財的投機商人以肥胖的手指翻閱《約翰牛》雜誌，也走了。有時候德軍的小艇會趁夜接近。「不夠近啦。」歐文說，當時兩人正在等徵兵名單貼上告示牆。而且還大笑，臉上是他那種微微警覺的表情。

海面和緩，近似小狗朝天袒腹的慵懶，下海游泳也不覺得冷。他漫遊著，沒有特定的方向或意向，任憑兩腳帶著他走。幾分鐘後，他繞過陸岬，眺望半圓形的南灣，望向對面的海崖，上面蓋著喬治王朝風格的連棟白屋。有些軍官弟兄正在裡面，在全倫敦最貴的生蠔吧揮霍作樂。他自己兩夜前也去過，但今晚他無心再去。

比較靠近他的是紀念品商店、擊椰遊戲攤、鞦韆船、搞笑帽、步槍射擊聲、鬼屋驚叫聲。在鬼屋裡，厚紙板製成的枯骨架會從碗櫥裡跳出來，綠燈泡在骷顱頭的眼窩裡閃爍。假如這些人見過……唉，別提了，別提了。

在他身後，在通往軍營的路上，有幾棟呆板的寄宿屋，厚厚的蕾絲窗簾遮得緊緊地，將一日遊觀光客的粗俗氣氛隔絕在外。任斯卡伯勒市隨便走，無處不見英國階級制度交織成的慘狀。

他聽見身旁有人痛得哎一聲，一手握住他袖子的是一名紅髮女子，打扮絢麗，獨行。「對不起喔，哥，要怪就怪這雙鞋。」她對普萊爾燦爛一笑。「鞋跟老是踩不穩。」

她把雙臂倚在欄杆上，靠近普萊爾的手，右肘稍稍碰觸他的衣袖。

「不用了，謝謝。」

「講啥？誰想給你啥東西？」

她繼續嘟噥著。良家婦女想休息一下都會被人……騷擾，這世界變成什麼模樣了？自以為了不起嗎？佩戴兩串金黃色的穗帶，就自以爲大便也有薰衣草香——

「要付錢，我不玩。」

哇哈哈大笑。「你呀，休想免費玩。」

他微笑著，允許一絲溫婉感傷的意味融入語調中。「我下星期要回法國戰場。」

「鬼話，滾蛋啦。」

一時之間，普萊爾希望她聽從自己的建議一走了之，但她沒走，兩人繼續並肩站著，幾乎相碰，但他的心遠在他鄉，遙憶起大戰爆發當天的黎姿．邁克道伍。她的綽號是「長腿黎姿」。在康莫修路上巡街的小姐當中，多數人在濟貧院裡長大，黎姿的身高足足有五呎，傲視群芳。她的兒子是普萊爾的至交。那天他離開小酒館，回家途中在後巷裡碰到黎姿，當時儘量壓抑住她是好友母親的事實。他告知報名從軍的消息。

——好孩子！黎姿說。

黎姿是大英帝國的熱心愛國分子。那天不知什麼原因，他跟著黎姿回她家，蹣跚進後面的臥室，最後兩人一身涼涼的薄汗，躺在軟塌的床上，裡面躲著準備飽餐的床虱，尿壺從床下飄出臭味。她暢談常客的妙事。她說，有個男人每個月過來一次，每次都把椅子倒翻，翹著光屁股，對準椅腳坐下去，四支腳輪流插屁眼，不叫她辦事，要她旁觀就好。

——唉，你也知道，我是個窮擔心的人。我一直想，如果拔不出來，那我怎麼辦？

——鋸掉椅子腳啊。

——不行啦，還像樣的椅子，我只剩那一張哩。

「笑什麼笑？」紅髮女問。

「想起一個老朋友。」

那一次，黎姿為了表現愛國心，不收普萊爾的錢。基於同樣的理由，黎姿免費奉送過七次。可憐的黎姿後來才發現，其中五人根本沒報名從軍，獻身報國的憧憬當場幻滅。

「你想不想要個伴？」

他看著紅髮女。「妳不死心啊？」接著，普萊爾聽見驚叫聲、步槍聲，嗅到酒吧門嗝出的啤酒熱氣，突然受不了。他不願再當這灘污水表面的一顆油珠子，要他做什麼事，他都答應。「好吧。」

她對鞋子的怨言不是幌子。海景屋後面的街道比較安靜，通往這些街道的階梯陡峭，如果她不抓著普萊爾的手臂走，肯定會多摔幾次。

「怎麼稱呼你？」她問，對著比利．普萊爾的臉呼出波特酒味。

「比利。妳呢？」

「愛莉諾。」

白問了，他暗罵。「有人喊妳『妮莉』嗎？」

「有時候。」她說。她的嗓音受自尊心驅使而縮緊。「轉個彎就到了。」也許她察覺普萊爾的心意有所動搖，因爲她的手臂綳緊。「不遠啦。」

兩人爬上一層階梯，走到門口，她翻找著鑰匙，普萊爾四下看看，幾乎踢翻一堆沒洗的鮮奶瓶。瓶子裡面是毛茸茸的綠黴。

「小心一點啦，」她說。「不怕大家探頭看？」

走廊陰暗，有排水孔與老鼠的臭味。一張臉——只見一眼與一小片蠟黃的皮膚——從他左邊的門縫窺視。

「要小聲一點喔，」妮莉壓低嗓門說，然後在關門之際瞥見偷窺的鄰居，高喊：「這附近住了幾個愛管閒事的雜種。」

上樓時，兩人攬著對方的腰，在狹窄的樓梯上肩臂互撞，嗅到對方歡笑時的口氣，最後她的醉意傳達至普萊爾，化解了所有疑慮。

她打開門鎖。天花板掛著一顆無罩的燈泡，照亮一張凌亂的床，椅子上堆滿短襯衣與束腹，也有洗手臺。專業得令人稱奇的是，洗手臺旁居然有一條乾淨的毛巾，有一塊黃色肥皀。

「不介意的話，麻煩你稍微洗一洗。」

他不介意。只不過，洗得乾淨才怪。

「你知道嗎，」她說著解開上衣的釦子。「上星期，我接過一個可憐的小子，叫他去洗一洗，他洗的居然是手。」

普萊爾拉拉領帶，左右尋找放衣服的地方，注意到壁爐邊有一張椅子。這座壁爐相當豪華，壁爐架上雕刻著一環花果，但現在當然以木板封住，裡面改裝煤氣爐。制服上衣的釦子解開一半，頭正要鑽出衣服之際，他嗅到煤氣味，若有似無卻錯不了。頭被深色卡其衣罩住，恐慌感急湧上心頭，被他硬壓下去，汗水自胳肢窩往下直流，不是運動後的長汗，而是爆發的大汗，惡臭、濕滑、燠熱，旋即瞬間冷卻。他從制服掙脫出來，過去開窗戶，目光飛越明月下的尖角屋頂，飛向大海。他告訴自己，沒理由害怕，但他依然害怕。尋常的恐懼反應一樣也不缺：口乾舌燥、腋下濕潤、心悸、喉嚨打結想咳嗽。下體緊繃，陰莖縮水。可惡，待會兒怎麼戴保險套？豈不像小孩穿老爸的大衣嗎？他聽見自己的講話聲彆扭，比實際年齡小幾歲。「抱歉，今天大概沒辦法。」

「哎喲，別講這樣嘛，哥，不要緊——」

假溫情。硬化軟鳥是她常做的事。

「不行。」

他從窗前走回來，看著妮莉。她的頭髮落在肩膀上，不是雲綿綿的一團，而是線條分明的圈圈，每個圈圈宛如月彎，如同理髮店地板上的東西。他拿起其中一圈，以手指纏繞。束腹的骨架在皮膚上勒出紅痕，她察覺普萊爾視線的方向，白費力氣地抹揉著痕跡。他的舉止有異於一般顧客，而任何悖離常態的狀況都令她緊張。如今，房間裡充滿兩人的恐懼。但她的眼神保持穩定，出奇地穩定，令人難以想像短短五分鐘前，她還醉得東倒西歪。提到這事嘛……她事前確實喝了幾杯，但她絕對沒醉。也許她需要的不是酒精，而是想藉酒醉掩飾眞我。

「我鼻頭難道有斑點嗎？」

「沒有。」他傻傻地說。

四眼互看。

「躺下來，比較好吧，」她說。

他脫完衣物，伸出手，以雙手托住她的乳房，態度猶豫。他意識到，目前為止，對方仍未提價格。每次在科芬園或河岸街，目光與女人相接的那一刻，總會勾起這種冗長難耐的經驗。「……另外呢，想吸我奶子，外加五先令。」

「兩英鎊，」她讀懂了普萊爾的心思，說。「擺在那張桌子上。」

他上床，左臀坐到一片濕冷，暗罵自己想像力太豐富。他伸手下去摸。不是想像。床單處處散見細小的捲毛，是陰毛。他想著，不知坐到的是誰的精液？該不會是認識的人吧？她事後清洗得多仔細？他在大腦裡尋找哪種噁心的感覺適用於這種情境，卻找到亢奮。不對，比亢奮更高級，是確認無誤的權勢感。

這麼多來來去去的男人，進出斯卡伯勒市，進出她的胴體，前往前線……這些人死了幾個？她蹲在馬桶上方清洗——普萊爾樂見這種象徵性的舉動——這時他感覺，那些男人在走廊聚集，擠滿狹窄的樓梯，在門外推擠。停在門檻外是因爲怕光。

「能關燈嗎？」他說。「照到我眼睛。」

現在，他們能自由進門了。但他們等著，等到她上床，壓得彈簧吱嘎響。普萊爾的雙手是他們的手，他們飢渴的眼睛是他的眼睛。在星光下，瞳孔擴張，聚焦在凝脂般的肚皮與一叢黑毛上。他愛撫著，呢喃著，玉手握住男體。「看，這不就行了嘛。不要緊，我就說嘛。」

他慢慢上她。一會兒後，她的手伸向他背後，抓住男臀，指甲掐進肉裡。究竟是爲縮短流程而逢場作戲，或是眞情反應，他不得而知。他意識到他們的重量壓在他身上，他的雙臂加一把勁，支撐所有人……

隨後，問題來了。他向下看，看見一張閉鎖的臉，認出這種表情，不是憑視覺，而是靠自己臉部肌肉來體認，因爲他也曾以這種姿勢躺著，巴望事情快快結束。像這樣被操了整整一年，他才終於體驗到射精，躺在修道院窄床上，正上方有一座基督十字架，更遠的牆上掛著——他永遠忘不掉——聖勞倫斯（譯註：St Lawrence，225-258，遭古羅馬政府迫害的殉道者）遭火刑的畫。麥肯濟神父第一次摟著他的腰哭喊，這次我們的感觸是眞的很深，對吧？「伸」到裡面去了，沒錯，講「我們」卻不對。「我們」是什麼屁話？後來——應該說不久後，因爲他是個思想先進的小孩——他開始索費。並非投效賣淫業，而是開創賣淫，因爲他認識的人當中，沒有一個做過這種事。首先是麥肯濟神父。然後另有其他人。

不願成為她，唯有一個辦法，就是把她當仇人。普萊爾瞇眼，模糊她的五官，把整張臉縮成他們能放進左輪準心裡的小臉。把她變成一個張牙舞爪、噬嬰的德國佬。然而，借他手眼行事的他們不從。他感覺他們撤退，宛如往回捲的波浪。

也好，換我上陣。普萊爾把額頭壓在她的額頭上，不需對方開口，即知接吻是禁忌。她在普萊爾身下蠕動，他放輕壓力。慢慢地，刻意地，她把食指深深伸進自己嘴裡，拔出時弄出驚人的啵聲，然後——普萊爾有時間臆測她的意圖——指甲輕盈畫過他的腰，刺激他打哆嗦，讓他插得更深，接著她把食指用力戳進他的屁眼。啊，他大叫，震驚的成分大於快感，但他已經爆發、溢流，倒向她，大口喘著氣，呵呵笑幾下，再喘一口氣，淚水刺激眼珠，他才翻身下來，靜靜躺著。自嘗絕招的惡果。以前，他自己也常用這種把戲，加快流程，對付惡意逗留不去的客人。

她立刻下床，蹲在馬桶上方。他懂對方的暗示，開始穿衣服，一邊扣制服，一邊在壁爐周圍嗅來嗅去。

「你哪根筋不對啦？」

「好像聞到煤氣。」

「喔，對啦，大概是。開關漏氣。我幾次叫她修，叫煩了。」

他扣好腰帶，當下決定，以後不做這種事了。對有些男人而言，做這種事也許能消火，但……對他沒用。對他而言，全程有如連滾帶滑，活像在卵石灘上跑步。到最後是誰在操誰，他也搞不清楚。他起初覺得，有前人的精液潤滑更能助興，即使是這種想法也曖昧不明確。並非他排斥曖昧不明——假如他排斥，他也不會活到今天——但這種曖昧是大家用來逃避現實的曖昧。而他的自尊心太強，不願逃避。

回軍營的路上，他把她忘掉了。離大門幾百碼外，他跟上一群回營的軍官。這些人多數在酒館量力而為，現在比普萊爾傍晚撞見他們時少幾分醉意。但達林坡的神態慌張，表情崇高而有遠見，看似人生目標專一，只求及時衝進廁所。

「他不要緊吧？」普萊爾問。

「趕得及啦。」班布立格說。

大家通過營門時，地平線上響起隆隆雷聲，黑雲在閃電光裡乍現。普萊爾等到人群散盡，然後才進大樓洗澡。他一面脫衣，潑冷水洗胸部與下體，一面想，在深夜無人的洗手間，清一色白瓷磚，全是無罩的裸燈泡，是人腦構想的地獄寫照中最具信服力的一種。他照著褐斑點點的鏡子，回想妓女的臉融成準心裡的德國佬的那一刻。

——你做得出來的事，哪一種最糟糕？瑞佛斯有此一問。

虛問。瑞佛斯才不相信最糟糕的事物有何作用。他認為普萊爾是在大驚小怪。也許我是吧，普萊爾心想，凝視著鏡子映出的背後一排無人廁所隔間，感覺「最糟糕的事物」擠在他後面，爭著想對著他的脖子呼氣，想緊迫逼人。有時凌晨四、五點醒來，他甚至不知昨夜在哪裡度過，自認有可能殺了人。然而，殺人怎麼算是「最糟糕的事物」？鏡中人回瞪著他，眼神空虛。所謂的謀殺，不過是在錯誤的地方殺人罷了。

風勢增強，他快步越過風沙漫天的柏油碎石地回帳篷。他彎腰鑽進帳篷，硬起頭皮迎接腋窩與襪子的臭氣，臭味被白天殘餘的高溫烘得更濃嗆，儘管掀開帳篷門，也無法防止帳篷在大熱天變成烤箱。他深吸一口氣，吸到最大限度，然後爬進惡臭的漆黑。

有人說：「哈囉。」

當然是哈磊特。上星期，普萊爾單獨睡一頂帳篷，因爲哈磊特去瑞朋接受投彈訓練。

「你看得清楚嗎？」

手電筒照亮枯黃的草地，地上散見菸屁股。

「還看得見，謝了。」

普萊爾眨眨眼，以適應漆黑，同時扭身進入睡袋。

「你剛從倫敦回來，對吧？」

不得不陪聊，他暗嘆一聲。「對。一個星期前。」

一陣閃電照亮哈磊特的眼白。「你接受過醫委會審核了嗎？」

「下次就出征。你呢？」

「下次。」

語調隨意且聲音冷淡。

「第一次嗎？」普萊爾問。

「對，被你猜中了。」

現在，普萊爾已適應黑暗的環境，能清楚看見哈磊特：橄欖色皮膚，近乎地中海人的色調，略歪的嘴唇中看，暴牙顯然令他自卑，因爲他不停以上唇遮醜。相當誘人。這並不是說，在這種狀況下，普萊爾曾經允許別人對他動手動腳。

「我其實滿期望出征的。」普萊爾說。

這句話迴盪在空氣裡，顯然要求對方做出某種回應，但對方又能怎麼說？哈磊特被嚇得屁滾尿流了，確實是有權被嚇得屁滾尿流，再怎樣「安」他的心，恐將逼他正視自己被嚇壞了的事實。

「我排裡有些兵出征過三次，」哈磊特說。「整排弟兄裡，好像只有我一個是菜鳥，眞的。士兵懂得比排長多，排長怎麼帶得動？」

「快祈禱排裡有個優秀的士官吧。眞正優秀的士官會暗示你怎麼對士官下令，不會讓弟兄看見他在教你，更不會讓他自己知道他正在教你。」

「你出征過幾——？」

「這是第四次了。不照順序的話，一次受傷，一次得彈震症，一次是戰壕熱。」

哈磊特躺著，頭壓雙手，普萊爾只看得見他的下巴。天意太不湊巧了。假使哈磊特的父親色眼遲睜兩年，哈磊特就不會被徵召來這裡，甚至可能躲過戰爭，也許一輩子會因逃過一戰而自怨自艾。「屈從於故友魂之恫嚇。」（譯註：出自薩松的〈倖存者〉一詩）確實如此，講得太有道理了。幽魂四處在。連活人也只是即將赴陰間的半鬼。活人學著分配對幽魂的付出。帳篷內的此時此刻已有一種回首往事的味道。也許是他歲數有一把了吧。但反過來說，以戰壕時光而言，他畢竟是老人。在戰壕裡，一代相當於六個月，以索姆河之役而言更短，幾乎不到十二星期。他是這男孩的曾祖父。

他再看哈磊特，看著他溫熱的頸子，想說一些話，想講一句輕鬆隨和的言語，卻怎麼想也想不出，只能瞪著沾有污漬的帆布帳篷。一陣陣夏夜閃電照亮帆布，他注意到最大一片污漬看似非洲地圖。

第四章

兩條黑線各圍住墨斐特的一條大腿，位置在緊鄰膝蓋的上方。

「閉上眼睛，」瑞佛斯說。「你有什麼感覺就說出來。」

「有針在刺。」

「多少根？」

瑞佛斯再拿針刺。

「兩根。」

再刺。

「一根。」

再刺。

「兩根。」墨斐特的口氣沉悶。「兩根。兩根。」停頓一下。「不確定。」

「好，可以睜開眼睛了。」

墨斐特一次也沒有說謊。他閉眼躺著，單薄的眼瞼裡可見微微跳動，瑞佛斯從他臉上的每一條紋路解讀出，墨斐特確實想說謊，但他的回答全部正確無誤。即使墨斐特想撒謊也不具信服力，即使矇騙過關也騙不久，但有意思的是他連嘗試的企圖也沒有。他罹患的是純粹歇斯底里症，毫無裝病的因素存在。

「瑞佛斯，你有沒有想過，你生錯了世紀。」

瑞佛斯面露訝異。「存活到了錯誤的世紀才對吧。」

「你這種做法讓我想起十七世紀的尋巫人。他們也用針來刺人。」

「我猜他們找的是同樣的東西。感知異常的部位。」

「你認爲他們找到了嗎？」

瑞佛斯抬起墨斐特的左腿，在昨天早上畫線的下方三吋處畫圓圈。「應該找到了吧。有些巫婆八成有歇斯底里症。至少，很多文獻記載的現象是歇斯底里的病徵。」

「尋巫人本身呢？」

「我不知道。比較單純。比較低級。」

「我不喜歡那個病名。套用在我這種現象上。」

「歇斯底里？」瑞佛斯說。若以「彈震症」稱呼墨斐特的病，儘管「彈震症」既沒用也不正確，墨斐特的接受度或許比較高，瑞佛斯看得出來，至少「彈震症」聽起來比較雄赳赳。「我不認爲有誰喜歡這種病名。問題是，替代病名也沒有人喜歡。」

「這名詞的起源是希臘文，」墨斐特繼續說，語氣轉為剛強，「原文是hystera。意思是子宮。」

「對，」瑞佛斯淡然說。「我知道。」

治療墨斐特的難題在於，墨斐特智力過人，醫師以「癱瘓」兩字敷衍他，他不會滿意。歇斯底里的症狀涵蓋癱瘓、失聰、失明、失語，在創傷初期相當常見，過一段時日會自動消失，持久不消的症狀通常只出現在教育程度低或天生駑鈍的人。墨斐特不屬於這兩種族群。

至於這種誇張的療法是否有效……唉，癱瘓的現象確實能痊癒，但如此一來，難道不會對病患灌輸一種錯誤觀念，讓病患誤信天下眞有奇蹟的存在？瑞佛斯嘆氣，繞向病床另一邊。本能上，瑞佛斯再三反對這種療法，但他知道，這種療法能讓墨斐特再站起來。他一面畫圓圈，一面想著，這種療法，換巫醫來也能做，說不定技巧比我更嫻熟。咦，以前的確碰過這樣的巫醫……

初抵美拉尼西亞不久，瑞佛斯養成伴隨恩吉魯外出看診的習慣，一行人成單縱隊前進，因為樹叢茂密，蜿蜒的小徑太窄，容不下兩人並肩同行。

從後面看，恩吉魯的脊椎彎曲的情形明顯得嚇人。瑞佛斯納悶，恩吉魯如何向他人解釋這種畸形？是哪種神靈作威作福導致的？為什麼？汗水刺激到瑞佛斯被蚊蟲咬傷的眼皮，逼他不停地舉起前臂拭臉。流汗的主因是天氣熱，但焦慮也是部分因素。瑞佛斯心想，這種心情有點像新學校開學第一天，心知一定不能做錯事，也知道把事情做對的機率是無限小，因為對新環境一無所知。與目前狀況相異的是，在學校，如果你與其他人同樣是新生，只要躲進人群裡，照著其他小魚苗的動作去做，安全躲在淺灘，就不會出狀況。但在美拉尼西亞，同樣是新生的人除了瑞佛斯之外，唯有侯卡特一個，而侯卡特一到美拉尼西亞就發燒不退，今天決定待在帳篷裡休養。

來到村子裡，瑞佛斯爬進一座小茅屋，蹲在泥土地板上，觀摩旁聽恩吉魯診療病患的過程。這位病患是有點年紀的婦人，與恩吉魯談笑自若，看樣子是老病號。經人介紹得知，她名叫南波科·塔汝。瑞佛斯本以爲南波科是名字，後來才知道是一種稱謂，意思是「鰥寡者」，也適用於男性，但鰥夫依習俗不冠這種稱謂。他的知識庫貧乏得可憐，瑣碎不相干的知識再添兩件。

寡婦塔汝穿著褐樹皮做成的衣服，躺下來，將樹皮衣褪至肚子以下。恩吉魯把椰油倒在她的腹部，開始按摩，瑞佛斯則在一旁猜測病因。好像是便祕。依她的年齡來看，他想問病人是否罹患慢性便祕，或者排便習慣改變是最近的事。瑞佛斯也想問，是純粹便祕，或者也有間歇性的腹瀉？礙於言語不通，瑞佛斯以洋涇濱英語比手畫腳，想傳達「間歇性腹瀉」，卻差點阻礙目前的療程，因此他作罷，寡婦塔汝笑得流淚，伸手擦臉。就算他對療程毫無貢獻，至少也讓病患暫忘身心之苦。

在此同時，恩吉魯的動作開始集中在肚臍左下方，喃喃吟唱，身體前搖後擺，以類似女人揉麵團的動作，用掌底攏起鬆垮的肌膚。持續的喃喃低吟與節奏化的動作具有催眠效果。忽然間，恩吉魯「哇」的一聲，好像抓到什麼東西，以雙手包緊，然後爬出門，使足力氣對著樹叢猛拋。接著，醫生與病人交談一小陣子，然後寡婦塔汝綁緊樹皮衣，走進樹叢，十分鐘後回來，神色快樂許多。

她不在的時候，瑞佛斯與恩吉魯交流。寡婦塔汝的病痛通稱「塔勾索若」，由名叫「馬帖阿納」的神靈作祟引發。寡婦塔汝罹患的這一種病可稱爲「昂嘎辛」，病因是被章魚寄生在小腸。若不及時醫治，章魚的觸角最後會延長到喉嚨，嚴重者可致命。通常，碰到這種土著的觀念，熟悉西方醫學的人會覺得常見的病名呼之欲出，但以這種角度看待土著醫學並無助益。寡婦塔汝相信她的病痊癒了。此外，以治療單純便祕的療法而言，西式按摩術未必比土方高明，而且除了最後的動作之外，兩者基本上並無二致。

瑞佛斯指著自己，然後指向椰油。恩吉魯點點頭，倒油進自己的掌心，然後開始按摩、吟唱、搖擺……異樣的催眠效果再起，病患產生一種受到徹底關注的感覺，被人從頭到腳呵護著。能不能從直腸抓出章魚倒是其次，恩吉魯畢竟是良醫。他的手指按得更深，吟唱也加快，雙手的動作近乎高潮，隨後——一切歸於平靜。恩吉魯往後坐，微笑著，縮手結束治療的態度與開始動手的態度同樣老練。

瑞佛斯比畫著恩吉魯尚未做的動作。「你無扔……『昂嘎辛』？」

反諷的目光一閃。「你無有『昂嘎辛』。」

你卻有，瑞佛斯的思緒回到當前，拿著海綿，抹掉昨天在墨斐特腿上畫的黑線。

「就在明天，」瑞佛斯語帶權威，以食指比畫著，「這一區即將恢復正常。」

墨斐特怒視他。「你是執意、故意在摧毀我的自尊心。」

「我認為，你一旦能再站起來，你會發現自尊心馬上恢復。」

卡麥克修女在屏風背面徘徊，等著把推車搶回來。瑞佛斯堅持凡事不假他人之手，連昨天畫的圓線也不准修女清洗，令修女震驚。洗病患不是心輔官的任務，應該交代護士才對。幸好瑞佛斯不拖地板，假如瑞佛斯洗地板被她看見，她不氣壞才怪。瑞佛斯敲不進她腦殼的是，醫院的規則是一回事，儀式性的裝模作樣則是另外一回事。

推車被搶走之後，修女說，萬茲貝克昨晚沒睡好。高燒華氏一〇三（約攝氏39點4度），一直想開窗戶。

「好，我接著去看他。」

幾位護士剛替萬茲貝克擦洗全身，他半裸躺著，雪白床單將他的皮膚烘托成半凝結乳酪的藍白色。瑞佛斯在一旁看著，見他打一陣哆嗦，雙臂與胸膛的皮膚變粗，膚色因而變暗。護士替他擦乾身體，為他蓋被，他能自由交談，卻因身體虛弱而只能講幾個字。

瑞佛斯開始為萬茲貝克擔心。這次西班牙流感的毒性出奇強，萬茲貝克病得厲害，卻似乎滿不在乎病情的後勢。瑞佛斯緊緊握著他的手腕。「你一定要戰勝它。」

也許「戰勝」是他唯一能理解的一詞。「戰夠多了。」他喃喃說，轉頭過去。

威斯敏斯特市的枝椏已開始變色，不是變成鄉間的那種大紅大金，而是寒酸、暗晦的黃。再過短短幾星期，葉子會開始凋零。倫敦最差勁的一點就是夏季太早結束。

「你知道嗎，有時候，」瑞佛斯謹慎地說。他從窗前轉頭回來，鏡片閃著光。他繼續說：「如果能回溯一下，儘量去去去……歸納一些事，會有幫助的。所以。我歸納一下，看我有沒有記錯。你住院是因爲騎馬發生意外——」

「沒錯。我沒注意到那匹母馬——」

「對。你住院期間，有個護士割掉你的陰莖，用裝有甲醛的廣口瓶醃著，放進地下室。」

泰爾富搖搖頭。「我沒有說甲甲……」

「甲醛。對，我知道你沒說。只是，醫院沒有泡菜用的醋。」

「啊，也對，有沒有，你最清楚。」

深吸一口氣。「她爲什麼對你做那種事，你知道嗎？」

泰爾富聳聳肩。「不曉得。」

「你總該納悶過吧？護士閹病人是驚世之舉，不是嗎？」

「哪輪得到我質疑呢？」泰爾富傾身向前，祭出他顯然自認是致命的一擊。「你不希望我教你怎麼治病吧？」

此時若有人伸出援手，瑞佛斯高興都來不及了，哪管得著援手來自何方？「醫生沒說什麼嗎？」

「一個鳥字也沒講。」

「泰爾富。」瑞佛斯交握雙手。「你用什麼東西小便？」

「我的老二啊，你這個笨王八。不然你用什麼東西小便？」

瑞佛斯專注於將吸墨墊擺正。「我在想，稍微談談女人，可能有幫助。」

可能吧。瑞佛斯無從得知，因爲幾分鐘後，泰爾富說：「瑞佛斯，你和我相談的語氣讓我不是滋味。你或許沒留意到，這裡不是軍營。」他站起來。「天知道，我這人最不願意拿軍階壓人，不過，希望你今後能尊稱我泰爾富少校，我感激不盡。」

他說完摔門離開。

墨斐特躺著，閉眼咬牙說：「有、有、有、有。」讓瑞佛斯拿針刺著他的皮膚。動作雖屬日常治療，某個現象卻與平日相異。漠不在乎的態度不見了。瑞佛斯刻意讓針越界，拿針測試應仍麻木的區域。

「有、有、有。」

針的動作停止。墨斐特睜開眼睛，疲憊地微笑。「你想一路往下刺到腳也行。」他再度閉眼。

瑞佛斯拿著針，以間隔兩吋的距離，順著腿向下刺。「有。有。有。有。」墨斐特現在的回答充滿倦意，每次答「有」的時間全與針觸皮膚時相符。針越過小腿，越過足弓，來到大腳趾的末端。

「有。」

墨斐特喊出最後這字。從屏風的空隙，瑞佛斯看見其他病患轉身望過來。他放下針。「好。」

他不怎麼訝異：通常——幾乎可說是「一般而言」——歇斯底里痲痺症來得突然，去得也突然。墨斐特靜靜躺著，臉在白枕頭襯托下顯得蠟黃，懶得掩飾憂鬱。的確，掩飾也是徒然。用來抵抗困境的唯一防禦被剝奪了，現在他找不到替代物。

「什麼時候發現的？」

「一大早。」

「你下床走走看了嗎？」

「還沒。」

「想不想走走看？」

「是很合乎邏輯的下一步嘛。」

「可以自己把腳轉過來嗎？坐在床邊。」

瑞佛斯跪下，開始按摩墨斐特的小腿，以雙手搓揉著鬆弛的肌肉。

「我想我應該表達感激之情吧。」

「不用。」瑞佛斯站起來。「好了，要不要走走看？雙手放在我肩膀上。」

墨斐特從床緣平移出來。

「感覺怎樣？」

「不知道。怪怪的。」

「想不想走幾步看看？」瑞佛斯說。兩人以彆扭的姿勢走，動作猶如先天欠缺韻律感的舞者，拖著腳步，周圍的屏風被撐得鼓起來。瑞佛斯舉起雙手，也鬆開墨斐特的掌握。「沒關係，我護著你，你很安全。」走兩步，墨斐特向前倒進他懷中。瑞佛斯扶他回床。「這樣暫時可以了。」墨斐特癱在枕頭上。

「一定要繼續努力，不過，如果沒有勤務員在場，你不能再試。」他遲疑著。「你知道吧，發生這種症狀的癥結，我們遲早要討論一下。」

他等著，但墨斐特依然以沉默頑強抵抗。

「我待會兒再過來。」

同一天的午後，泰爾富少校——瑞佛斯現在非記得尊稱不可——悄悄接近，偷偷拍他的肩膀。

「什麼事，泰爾富少校？」

故作神祕的低語。「廁所裡面出了一點麻煩。」

瑞佛斯跟他進盥洗室，懷疑泰爾富這次掉了什麼器官。

泰爾富指向浴室。「那傢伙進裡面好久了。」

「可是——」

「一直呻吟。呃，剛才還有——現在停了。」

瑞佛斯轉一轉門把。「哈囉？」

「我試過了。鎖住了。」

不可能上鎖——因爲根本沒鎖。瑞佛斯趴下，從門底向內望。浴缸的水溢出來，流了一地，瑞佛斯看得見一條手臂垂掛浴缸邊，手浮腫而蒼白，鮮血從手腕滲漏而出。裡面有一張椅子從下面抵住門把。瑞佛斯推推看，門打不開，於是站起來踹。這道門不比厚紙板堅固到哪裡——戰爭部徵用這所醫院時，花小錢隔起這幾間浴室充數。瑞佛斯再踹一下，鉸鏈才斷。他衝進裡面，被鏡子裡的自己嚇到。墨斐特躺在浴缸裡，光亮的肚皮在粉紅色的血水中浮浮沉沉。還有呼吸。墨斐特的頭歪向一邊，鼻孔在水面以上。瑞佛斯在浴缸旁跪下，踢到一支威士忌的空瓶，瓶子滾到一旁。兩隻手的手腕都有刀傷，右手傷及表皮，左手的割痕很深，失血也許相當嚴重，但血與水混合後，失血多少難以判斷。他撐開墨斐特的眼瞼，嗅嗅他的口氣，爲他把脈……

「死了吧，他？」泰爾富的語氣愉悅。

醉死了。「我想他不會有事。」

浴室狹小是一大問題，浴缸與洗手臺之間不夠寬，站著擠不進去，不得不彎腰，才抱得住墨斐特的胸部，指尖在浮腫冰涼的皮膚上打滑。泰爾富旁觀著。

「去幫忙抬他的腿。」

兩人使勁搬，可惜缺乏默契。瑞佛斯最後設法將肩膀拖出水，不料泰爾富等煩了，把兩腿丟回浴缸。兩人喘著氣，肩膀在狹隘的空間裡互碰。

「好了，一起來，」瑞佛斯說。「一、二……」

墨斐特出水了，但嘩啦一聲，整個人又掉進浴缸，激起一大片水花，兩人頓時濕漉漉。

「我伸一腿支撐他看看。」泰爾富說。

兩人再合力抬，這次泰爾富站進浴缸，讓墨斐特仰躺在他的大腿上，瑞佛斯負責扶他的頭頸。兩人的動作暫停，固定成近似聖母哀撫耶穌遺體的模樣，姿勢略顯猥瑣。「準備好了嗎？」瑞佛斯問。

「好了，我抓緊他了。」

就這樣，三人倒在地板上疊羅漢，墨斐特的左手腕失血量更多了，鮮艷醒目的血滴在斑紋瓷磚上。瑞佛斯從毛巾桿拉下一條乾淨的毛巾，用力壓住最深的一道刀傷。「你過來接手，」他說。「我去叫羅勃茲修女。暫時壓著就好，不必做其他事。千萬不要綁止血帶。」

「做夢也不敢。」泰爾富說著聳一聳肩膀。

羅勃茲修女在前往病房途中被瑞佛斯攔截。「墨斐特，」他邊說邊指向背後，「他割腕了。去找輪椅。」

他回到浴室，發現墨斐特的意識已恢復一半，泰爾富正對著他講故事，提到有個經驗淺薄的馬夫發現最貼心的獵人受了腿傷，所以替他綁止血帶。「結果得了壞疽，信不信由你。我們不得已，開槍了斷那個可憐的傢伙。」泰爾富看著墨斐特開開合合的眼皮。「他的腿才受一點皮肉傷啊。」

墨斐特像上岸的魚一樣掙扎，呻吟著，吐出黃色的胃液。瑞佛斯拍拍他的臉頰。「你服了什麼藥？」

羅勃茲修女推著吱吱叫的輪椅進門。泰爾富抬頭望她，臉色惶恐，趕緊從浴缸一側取來法蘭絨巾，攤開來，遮住墨斐特的生殖器。

「拜託你行不行，」瑞佛斯怒罵，「她是護士啊。」但從泰爾富的病史來看，泰爾富想維護的或許不是修女的嬌羞。「麻煩你去拿兩床毛毯過來。」瑞佛斯說著擠進小浴室。

墨斐特的頭癱向一旁，任人拉他坐上輪椅，以毛毯裹住，但瑞佛斯漸漸懷疑他的意識可能比表面來得清醒。

「好了，」他直起身子說。「泰爾富少校，剩下的事，由我來就可以了。謝謝你幫了大忙。」

「哪裡哪裡。」他低頭看墨斐特，嗤之以鼻說。「下午有點事可忙也好。對了，幹嘛老喊我少校？」他質問，對著瑞佛斯的胸部玩笑似地捶一下。「別這麼拘泥小節嘛，老兄。」

語畢，泰爾富吹著口哨離開，旋律是〈我乃怡情單身漢〉。

修女與瑞佛斯一同把墨斐特推進小病房，因為在彈震病房裡，最能擊垮士氣的莫過於自殺未遂事件。當然，除了自殺身亡事件之外。他記得在奎葛洛卡有人上吊成功。那位病患不僅主導個人的悲劇，更讓許多病患數星期來的努力泡湯。

最深的一道刀傷需要縫合。瑞佛斯拿針線過來立刻動手，發現墨斐特無動於衷，相當意外。墨斐特看著針上針下，只在接近結尾時舔一下嘴唇。

「縫好了。」瑞佛斯說。

墨斐特煩躁地以頭畫圓圈。「我的技巧不太好，對不對？」

「技巧好的人不多。以你那種方式來說，成功的例子我只見過一個，而那個人本身是外科醫生，幾乎是切斷左手才成功。」他站起來，伸展雙腿，一手用力按著腰。「你灌了多少威士忌？」

「半瓶。也許多一點吧。」

這麼說來，現在沒必要勸話。

「酒哪裡來的？」

「我母親。重要嗎？」

「剃刀呢？」

墨斐特一臉困惑。「我的。」

「好。你儘量睡一覺吧。」

「你是不是要報警？」

「不會。」瑞佛斯看著他。「你是現役軍人，照軍規辦。」

他發現羅勃茲修女在等他。「這事恐怕不能睜一眼閉一眼了，」他說。「照規定，置物櫃應該定期搜查違禁品。」

「我會吩咐邦貝里小姐的。上次搜查的人是她。」

她也是羅勃茲修女憎恨的對象，原因不外乎她是個心懷善意、手腳笨拙、態度熱心、資格不符的上流階級。

「威士忌是他母親給的。」

「我聽了不意外。那個蠢婆。」

去年冬季幾次空襲期間，瑞佛斯與羅勃茲修女聊過，得知她是家中的長女，底下有弟妹十人，靠雙手打拚，才脫離蓋茨賀德的貧民窟，因此不得不相信美食、良好住家、優質教育對人性具有腐蝕作用。

「泰爾富剛才的表現有點讓人意外，對吧？」她說。「出奇冷靜。」

「喔，泰爾富不會有事。只要他不張開那張大嘴巴，沒人知道他是瘋子。」他接著說，不見得是補充說明：「他在戰爭部上班。」

他在走廊撞見萬茲貝克。萬茲貝克的感冒康復不少，但仍不適合下床走動。

「你覺得怎樣？」瑞佛斯問。

「有點虛弱。喉嚨還痛，不過咳得比較少了。」

「你最好回床上。快呀，趕快回去。」

萬茲貝克關門之後，瑞佛斯意識到一陣急促的喀嚓聲，卻四處看不見發聲的東西。漫長的走廊在他面前延伸，無人，灰色地板閃著幽光，窗框的影子淡淡地映在地上。喀嚓，喀嚓，喀嚓。隨後他發現，聲音來自窗簾繩，因爲窗簾繩的尾巴在微風中互撞。然而，認出聲音的來源卻無法減輕喀嚓聲的效應。這種聲音幾乎像遊艇的索具，但它能勾起更深的往事。

走到電梯前，他才把那件往事挖掘出來。那天，恩吉魯帶他去帕納袞度參觀髑髏屋，在酷暑裡揮汗跋涉數哩，幾乎一絲涼風也沒有，除了蒼蠅嗡嗡飛之外聽不見任何聲音。接著，倏然間，他們走進樹林裡的一處空地，銳利的日光刀從樹梢斜砍進來，前方的斜坡上矗立六、七棟髑髏屋，格柵垂吊著幾串貝殼飾品。骷髏頭總是給人一種被監視的感覺。瑞佛斯被突如其來的日光照得眩目，跟隨恩吉魯上坡，走向幾個糾結的影子，這時其中一個影子動了起來，化爲人形，變成納雷隄。他是葬儀祭司，兩眼失明，蹲著，手肘與膝蓋尖突，眼角流出兩道蝸牛黏液似的膿。

最遠的一間髑髏屋正在整修，骷髏頭全被搬到屋外，排列在地上，因此從空地一眼望去，看似地上鋪著骷髏頭。瑞佛斯躊躇不前，不確定村人能允許他靠近到什麼程度。就在這個當兒，突然颳來一陣強風，動搖周圍的樹木，祭祀用的貝殼串也一同嘩啦喀嚓地伴奏著。

電梯來了，門應聲打開，將他的思緒震回現實。

第五章

艾妲．倫布總是一身黑，原因與其說是哀悼亡夫——怎知她是否結過婚——不如說是黑衣能令旁人肅然起敬，而且成本能壓到最低限度。

敬意是艾妲信奉的神。她十八年前搬進這一區，新寡——她自稱是——帶來兩個衣裝素雅無瑕的小美女。前一任屋主綽號叫做髒迪克，常在街角喃喃自語嚇小孩。剛搬進這裡時，每一個房廳都堆滿泛黃的舊報紙。短短幾星期之後，艾妲將屋子重新粉刷，門階刷洗乾淨，以石墨加工爐灶，在所有的窗戶掛上網狀窗簾。在住家的安全距離之外，她頂下一家下班不住人的店面，販售一些破爛貨、二手衣物，私底下偷賣琳琅滿目的專利藥品，主治墮胎與淋病。胡薄荷糖漿、羅森醫師疏通婦女腑臟良方、摩斯醫師元氣果汁、科地司雄風湯、薩謬．漢尼爵士特效藥、邦氏淋菌性尿道炎良方、歹命人之友，也賣戴維象乳藥——一種難聞的懸浮液，裡面混合石膏與只有上帝知道的原料，號稱是具有療效的象奶。

但每逢週日，她會鎖好店面，招待教區牧師亞瑟．霖基，地點是她專為這種場合布置的舞台，裡面擺著黑橡木家具，種著葉子肥厚耐旱的盆栽——艾妲缺乏耐心，開花植物總是在她手下凋萎垂死。此外，招待牧師的這間也擺著一張牆邊桌，上面放著傳家聖經，翻開到特別能堅定信仰的一頁。在這種環境下，艾妲以瓷杯倒茶，拿著漿燙過的餐巾，輕輕擦拭她那張如老鼠夾的大嘴，淺談今日話題，以改善性靈，或遵從安息日。

準女婿比利．普萊爾隔桌坐在她對面，地位提升了，這是她的讓步。至於更實質的讓步則遲遲不見：她不肯讓他與莎拉獨處，一秒也不准他們離開視線。然而，艾妲對女兒訂婚一事心懷感激。她對婚姻制度有信心，普萊爾懷疑她從未嘗過婚姻的滋味，所以更加推崇婚姻。他提醒自己，不宜瞎猜。但隨後，他環視家中的擺飾，心想，我沒猜錯。莎拉與辛西雅的相片立在收納櫃上，獨不見祖父母或父親。也不見新娘的嬌羞照。她今天選擇展示的《聖經》段落來自〈約伯記〉，文中敘述提幔人以利法探望生病的友人，看見友人從頭頂到腳底長滿膿瘡，慰問語是，你自作自受。艾妲這人的一大特點是具有幽默感。對了，她也對男體別具眼光。昨天比利幫她掛窗簾，她向上遞窗簾時，視線逗留在他的下體，以坦白的態度審視著，害比利差點臉紅。他心想，妳唬不唬得過霖基牧師，我不清楚，妳卻唬不過我。

他督促自己專心聊天。目前的話題是賦予年滿三十歲婦女投票權。艾妲對此強烈反對。她說，萬能上帝造人，將一性創造得比另一性傑出，明顯無誤，符合上帝的心意，別無可議論之處。從霖基牧師吃吃傻笑的模樣來看，旁人只能臆測他知道艾妲讚揚的是哪一性別。像他這種英國國教高教會派的年輕男人，走動時隨身飄散一種濃郁的沼氣，混合了焚香的餘味與精液的氣味。普萊爾熟識這一型人——性事方面亦然。

莎拉摸摸茶壺，站起來。「我應該去換茶葉吧。比利？」

「用得著兩個人去嗎，莎拉？」

「比利可以替我開門，母親。」

進廚房後，她急著說：「騙誰啊，她以為現在是什麼年代？」

普萊爾聳聳肩。從廚房窗戶望出去，墨爾本臺地向下陡傾，雨霧半掩暗礁似的紅灰色屋頂。他想知道艾妲以此為家是因為景觀美嗎？從這裡可以居高瞭望綿延的圓石路、一行接一行的煙囪，壯麗如山脈。從她家向下望，底下是一群群嘴皮結痂的小孩、被打成浣熊眼的女人、床虱、街燈，有些人家把結婚證書貼在窗內炫耀，以羞辱那些無證書可展示的鄰居。她慶幸自己拯救兩個女兒，讓她們不必過那種生活。在比利的想法裡，像艾妲在這方面力爭上游的女人，投票權對她而言也許不值得一談。

莎拉走過來，在窗前與他會合，從背後摟著他的胸部，臉靠在他的肩頭。「希望明天會更好。天氣也不配合你，對不對？」

不配合的不只是天氣。他轉身面對莎拉。「我們什麼時候才有機會獨處？」

「我不知道。」她搖頭。「我再想想辦法。」

「妳可以假裝去上班，然後——」

「我不能假裝去上班，比利。我們家缺錢用。走吧，不然她會懷疑我們躲去哪裡。」

她對普萊爾硬塞一盤豬油麵包。普萊爾跟著她走回前廳。

他們發現霖基正在傾訴下星期布道的主題——霖基說，他對犧牲的主題很感興趣。普萊爾重重放下盤子，心想，你是說眞的嗎？辛西雅新寡未久，緊抱著牧師的腳，也許是受母親的指示：她比莎拉加倍聽話。普萊爾坐下，在桌子下面磨蹭牧師的腳，欣然看見對方的領環附近出現紅暈，逐漸往上擴散。斜眼一望，目光飄忽，欲迎還拒的眼神，而且……**媽，妳拿豬油麵包請他吃，是白費心機囉**，普萊爾默默告訴準岳母，雙臂交叉胸前。

霖基牧師走後，艾妲換上日常服裝，拿起一包薄荷糖與一本小說，在壁爐附近坐下，撩起裙襬，露出吊襪帶與白皙的大腿。隨著爐火的熱度穿透裙子，一縷尿騷從裡面逸散而出。普萊爾從莎拉的習性得知，艾妲也遵從老規矩，在街上內急時，經常就地跨著水溝，像母馬一樣小便。他有幸目睹這一類親密的景象，又是拜莎拉手指上的戒指之賜，是艾妲對他做的另一個讓步。

年輕人聚集在鋼琴旁，照慣例彈唱完幾首讚美詩之後，改唱戰前最膾炙人心的抒情曲。

「媽，妳應該知道這一首，」普萊爾回頭送秋波說，把母音拖得很長。她居然與普萊爾合唱，令他甚爲訝異。

老翁賜重賞，
購得美嬌娘，
佳麗徒為鍍金籠中之雀！

「可惡，老娘的運氣就沒那麼好。」艾妲說完繼續讀她的小說。

普萊爾看手錶。「想不想出去散步一圈？」他問莎拉，同時合上鋼琴蓋。

「想。」匆匆向辛西雅瞟一眼。

「我太累了。」辛西雅說。

「風這麼大，還想出去散步？」艾妲說。「聽聽看。颳大風耶。」的確是。

「再怎麼說，我們家莎拉明天還要幹活兒，」艾妲說著合上小說。「我想大家還是提早睡覺吧。比利，你睡那張沙發，睡得舒服吧？」

「還好，謝謝妳。」問題是，有一支討厭的大棍子戳著軟墊。

「仰躺著睡，試試看。」

像她這種女人假如誕生在中世紀，肯定會被人抓去活活燒死。莎拉從樓上香閨抱來毛毯與枕頭，礙於母親在樓梯腳監視，只對普萊爾獻出貞潔的晚安吻。

他多想狼嗥，出海前的休假日就這幾天，我們剛訂婚啊。

她走後帶上門。普萊爾還沒有就寢的準備——應該說是，他不準備獨睡。他脫下制服與軍靴，在前廳裡隨便走動，看看相片，最後倒在沙發上，拿起艾妲扔下的小說。

艾妲的藏書豐富，其中有幾本羅曼史，她讀得津津有味，咯咯笑聲不斷從一身黑衣中冒出來，宛如火山土裡湧出來的溫泉。但她偏愛的是俗稱一分錢一本的恐怖小說，把書立在牛奶瓶上，邊煮晚餐邊讀，在每頁邊緣留下半透明的牛油指紋、變硬的油炸粉印、黏黏的果醬手紋。另外也有血指印，一路延伸到敘述特別血腥的謀殺過程的一頁。所有的藏書皆有謀殺的情節，兇手全是女人，有的是旅遊海外的貴族淑女將夫婿推下河、推下陽臺、推下懸崖、推去撞火車。如果女主角屬於嬌滴滴型的居家婦女，她們會待在家裡，在丈夫的飲食裡下馬藥（作者註：jallop，古時妻子為避免行房懷孕，有些人會對丈夫下毒，輕則暈眩，重則內出血），毒死丈夫。唯有最後幾頁不見廚房油污。普萊爾對此困惑許久，最後理解到，在最後一章裡，外遇女兇手必定會被逮捕嚴懲，艾妲才不接受那一套。她的女主角總能逍遙法外。

鐘聲滴答響，與昨晚一樣，徹夜不休，聲聲惡毒，吵得他睡不著。他拿起時鐘，本想移到廚房去，時鐘竟然立刻停擺，一放回壁爐架，卻又恢復滴答。天啊，他暗罵，連可惡的時鐘都被調教過，懂得並攏雙膝。

他聽得見姊妹倆在樓上脫衣服：鞋子被踹開、間斷的對話、嘻嘻笑聲，另外他幾乎聽得見——

他一廂情願認為是——襯裙娑然落地的聲音。在白睡袍上身之前，莎拉一絲不掛幾秒。他下床，走向鋼琴，撫弄著琴鍵，閉嘴吟唱著。

願遠離伊普爾
我心所求，
德軍狙擊手
打不到我。

掩蔽坑潮濕，
雙腳冷冰冰，
靜候咻砰聲
哄我入夢鄉。

門開了。他轉頭，看見莎拉穿著一襲白睡袍，一條粗辮子垂落在左肩。

「對不起，」他說著合上鋼琴蓋。「是不是我吵到妳了？」

「不是，我只是想來看看你。」

不可思議的是，樓上的女生依然竊竊私語，嘻嘻笑著。

「是辛西雅在唱獨角戲，」莎拉說著關門。「假裝我還在樓上。」

她在壁爐前的小地毯上跪下，將所剩無幾的柴薪送進爐火，然後小心翼翼，避免把即將熄滅的爐火弄熄，將烏亮的煤炭丟進火窟。最近下雨，濕氣重，煤炭遇火發出吱聲，投射在她臉上、頭髮上的火光頓時黯淡一下，隨後才又燃燒。

「我們好像一直沒辦法湊在一起。」莎拉說。

「妳的意思是，我們一直被拆散。」

他暗中讚嘆，那頭令人驚艷的頭髮。即使在此時，她把頭髮梳得服服貼貼，準備就寢，他仍看得出色調互異的五、六種紅銅色、赭紅色、青銅色，甚至有一條純金的頭髮，不像自己的。

她轉身面對他。「這棟房子是她的，比利。」

「我有嫌什麼嗎？」

火光在她的臉上鍍金，掩飾被軍火工廠薰黃的膚色。

「我們可以申請特許證去結婚，」他說。「至少我認為可以。不曉得要等多久才申請得到。」

「不行啦。」

對，不行，他心想。因為戰後時移勢易，我可能想出去闖闖天下，也許不想被畢爾街出身的老婆拖累。我需要保護，以免自殘。莎拉的榮譽感很強。他原本以為，榮譽感對女人的功用差不多相當於運動內褲，但眼前的莎拉確實受到榮譽感的拖累。「我愛妳，莎拉．倫布。」

「我愛你，比利．普萊爾。」

她向後傾身，普萊爾爲她解開睡袍鈕釦，露出香肩，豪乳的側面被鍍成顫巍巍的金色。他滑向她身旁的地上，摟她入懷，感覺到她筋骨放不開。「別緊張。別緊張。」

而此時此刻，他別無所求，只願將臉埋進酥胸，將永不休止的時鐘滴答聲隔絕在外。不料，樓上有人喊：「莎拉、辛西雅，該睡覺了。」

「我該走了。」

「好吧。」

但普萊爾的雙手拒絕放人，她不得不掙脫。

「這樣吧，明天晚上她會去參加司巴吉（spuggies）。我會騙她說我頭痛，想待在家裡。」

翌晨，大家出門上班後，他上樓進莎拉的臥房。他昨夜又被時鐘吵得無法成眠。他想躺進莎拉睡的床，把自己裹在洗不乾淨的床單裡。即使在這個潔癖至上的家裡，姊妹倆脫落的皮屑仍能將床單染黃，再怎麼洗也無法除清。他不在意。他想高高興興地睡在這裡，躺進莎拉整夜壓出的凹痕，品嘗薰衣草與香皀散發的清香。

床頭櫃上有一幀他的相片，是在他授階時的留影。稚氣未消的男童臉。他曾經那樣年輕過嗎？

他脫光衣服，躺在床上，瞇眼望向半開的窗簾，不知值不值得下床合起來。不必了，他決定，轉身背對著光就好。

他轉身，在閉眼的瞬間瞥見一件物品，大腦一時無法解讀。他坐起來。抽屜櫃上擺著一幅軍裝青年照，穿的是基層兵的制服。不是辛西雅的丈夫——普萊爾從結婚團體照認得他的長相。普萊爾下床，走過去看個仔細。當然是強尼。不然是誰？是莎拉的第一任未婚夫。

照相時常見的勉強的笑臉被太陽漂白一半，背後幾呎是尚未被轟炸過的法國。爲何對這相片嘖有煩言呢？因爲我自認取代了他的地位。普萊爾甚至連「認爲」也談不上，只是直接假定。她只提起強尼一次，而且是在酒醉時。當時普萊爾爲了誘她獻身，勸她喝了不少波特甜酒。盧斯之役。對。我方毒氣被吹回英軍的陣線。普萊爾再看這張不認識的臉。攝影曝光過度的效果幾乎無意間象徵一種被人遺忘的境界，而人人終將走進這種境界。昨夜他想到莎拉的膚色，心想，被工廠的化學藥劑染黃之前的本色是什麼？相片裡的這男人知道。他認識這一個莎拉。普萊爾拿起一張相片——這一個快樂、微胖、淘氣的女孩，坐在鞦韆船上，拚命壓著裙子，以免裙襬飛揚。現在的莎拉，給人的印象是額頭高而圓，顴骨突出，爽朗而冷靜的淺笑凝視，總讓人覺得她有所保留。普萊爾所見的莎拉始終戴著一張被哀傷摧殘過的臉，而普萊爾至今才知道。

「去呼吸新鮮空氣也好，」艾妲說著以帽針固定黑毛氈帽。「治療頭痛最有效。」

「哪有新鮮空氣，媽？那裡面空氣會悶得很可怕，妳不曉得嗎？」

艾姐彎腰，把臉湊向女兒的鼻子。「莎拉，趕快去拿外套。」

莎拉望著比利．普萊爾，微微聳肩。

「我也去。」他說著起身。

「確定嗎？」艾姐問。「不是人人都受得了司巴吉。」

「我豈能錯過？」

就這樣，大家一起走在街上，艾姐帶頭，以黑裙掃街前進。在裙襬長度的方面，她不肯向流行趨勢屈服。她在街上滑行，彷彿踩著隱形滾輪。

「和亡魂交流是異端邪說，她應該知道吧？」比利問。「被發現的話，牧師會不高興。」

「她呀，不相信通靈的事。她去參加只是怕晚上在家悶得發慌。」

聚會在一間商店的樓上舉行，商店賣的是手術器具，產品功能廣告之含糊有其必要。窗戶飾有紅綠皺紋紙，是耶誕節殘留下來的裝飾品，窗內只展示一張相片，刻畫一位白髮男子抱著孫女，把她甩到頭上。

大家爬上一道窄樓梯，進入一個小房間。一架鋼琴，一張擺著一瓶花的桌子，五六排椅子，網狀窗簾在皮膚上留下刺青狀的陰影。找不到相連的四人空位，普萊爾只好坐到莎拉背後。

「妳的頭還痛不痛，莎拉？」艾姐問。

「好一點了，謝謝妳，媽。」

你的蛋蛋痛不痛，比利？痛死我也，謝謝妳，媽。

有人走向前，站在講臺上，謹慎地縱覽全場。是在默數茶水與點心掙來多少零錢嗎？是在評估現場對他的信任度多寡嗎？或者他根本不是叛教者，只是純粹一個瘋子？不對，他不是瘋子。他是一個滿嘴黃牙、自滿的矮子。

普萊爾循著他的目光環視全場，這時窗簾放下，遮住外面的日光。女人多數一身黑，男人點綴其中，全是中老年人。壯年的男人只有一個，臉與手抽搐得無法自持。太多寡婦了。太多母親渴望聯絡已故的兒子——而在這個場合裡，所有人可以團聚在一起。大街小巷的青年一夕之間全被徵召離鄉。講臺上的這個男人以手抹平稀疏的頭髮，宣布讚美詩的詩名。他熟稔所有亡魂的特徵，知道他們的胎記、綽號、滑稽的習慣動作——他確切明白在場每一位婦女想聽什麼樣的言語。騙徒，普萊爾暗罵，而這人自欺欺人的行爲更不可原諒。

耶穌之天使，聖光之天使，
以歌聲歡迎夜間朝聖士。

觀眾坐下，尋常的咳嗽聲不時傳出，也有椅腳磨地聲、肚子咕咕叫聲。他站在觀眾面前，建立靜肅的氣勢，加深寧靜的氣氛。

最後他準備就緒了。他說，逝去的親人全回來了，全在這裡。音訊開始流入。最初是描述某位丈夫或兒子的特徵，隨即將目光瞥向慟失親人的苦主。他傳達的是鎮痛用的訊息。根據他的說法，亡魂在陰間玩得好開心，遠離擾攘的俗世，高唱讚美詩，讚頌耶穌，摘下金冠，悠遊於祥寧如鏡的海面。對，對，普萊爾在心裡嘀咕，怎麼不提打炮爽不爽？

接著，在無預警的情況下，手臉抽抖的男子起立想發言，但從他嘴裡吐出來的不是文字，而是近似排水管溢流的咕嚕聲，聲音當中卻不乏抑揚頓挫，言語應具備的成分皆在，唯獨缺乏意義。大家轉頭望他，看著聲響從他口中擠出來，看著他目光呆滯，看著他的頭一直向後仰。講臺上的男子勉強微笑著，難掩嫌惡。一個歇斯底里病患被另一個歇斯底里病患搶盡鋒頭。對付你們兩個，我綽綽有餘，普萊爾心想。

他碰一下莎拉的肩膀。「我再也受不了了。我去外面等。」

他跑下樓，過街，身影沒入對面巷子裡，在兩個惡臭薰天的堆肥孔之間站定，點菸，想起神諭（glcssololia）的定義：「一份心靈天賦，本身不具價值，除非擁有這份天賦的人能詮釋他收到的訊息，並且藉此啓發信徒。」麥肯濟神父當時如此教導即將接受堅信禮的他。那年他……十一歲吧？十二歲？了不起的老師——有沒有穿法衣都一樣。

從巷子裡，他往外望，以陌生人的觀點看見莎拉走出來，看見她在無人的街上左顧右盼。

「莎拉。」

她奔越馬路，軍火薰黃的臉皮底下是一片蒼白。「剛才怎麼了？」

「沒事。我不過是受不了而已。」停頓一下。「人遲早會死，何必崇拜死亡呢？」

兩人站在一起，左右望著街道，最近下過雨，路面積水處處。日光間歇性投射而下。

「我不回去了。」

「好。」

她等著，依舊擔心。

「我們可以回家。」莎拉說。

「妳有鑰匙嗎？」

「有。」

兩人彼此凝視著。

「快來。」他揪起莎拉的手臂說。

跑在日光晶瑩的路上，積水四濺，莎拉的髮夾嘩嘩撒落一地，頭髮鬆脫開來。普萊爾拉著她進入一條巷子，巷內曬著白床單，隨風鼓動、拍動，勾住他們的衣袖，臉與頸被濕棉布打中。抵達家門的時候，兩人皆臉頰紅通通的，莎拉的頭髮垂在上背，狀似鼠尾。

她把鑰匙戳進鎖孔，晃一晃，普萊爾則回頭望向來時路，心想八成會看見艾姐踩著溫莎寡婦

（譯註：Widow of Windsor，維多利亞女王）滾輪橫衝直撞而來。他與莎拉衝進門，差點跌進走道，他直奔向樓梯。「不行。」莎拉說。不行，他心想。那就用前廳吧。他伸手想合起窗簾。「窗簾不能關起來，鄰居會以爲家裡有人死了。躲到沙發後面。」他已經跪在莎拉面前，兩手伸進裙底，摸索到內褲束帶，將內褲拉下來，扔向一旁，掉在哪裡都無所謂。到緊要關頭，他想到，這樣難辦事。進門之後，他們讓正門開著，否則無法解釋孤男寡女爲何鎖門。但普萊爾擔心，艾妲·倫布隨時可能衝進來看見他的光屁股。想到這裡，即使是銅猴子也會陽萎。

他進入之際，莎拉說：「小心一點。」

但他每次都小心，每次都有備而來——他卻對當前這股淫浪毫無防備。他就像某種水生動物，像一隻水獺，回到巢穴，鼻碰鼻與配偶打招呼，繾綣在濕暖幽暗的環境裡。他的心思縮成一小點，凝神聆聽足音，但他的陰莖膨脹，巨大而盲目，充滿天地之間。他的衝刺深入而快速，但他強迫自己撤退一些，維持淺入淺出，他知道莎拉喜歡這種蝶翼輕拍式。莎拉舉起雙手，緊握他的臀部——總是爲他製造危機——他不得不暫停動作一會兒，不上不下，嘴巴張著，然後才謹慎地恢復動作。虬結的青筋在莎拉頸子上暴凸，腹部繃緊，緊握男臀的手指露出尖爪。她呻吟著，普萊爾感覺得到她腹肌的運作。再一陣呻吟，喊叫一聲，現在他無法說停就停。人溺水時想呼吸，每一口都迫不及待，如今急著抽插的原理亦然。她把腿抬得更高，邀君深入，他儘量不去聽嬌喘中的焦急，不去聽她最後一聲喊叫裡的失望，將自己傾瀉進她體內。

一恢復言語能力，他立即喘氣問：「有嗎？」

「沒有。」

糟糕。他自我鞭策，匆匆再衝刺起來，動作慌張，感受不到磨擦，龜頭火燙，感覺她在升天的邊緣搖搖晃晃，搖搖晃晃，然後終於終於兩腳離地，起飛，脈動之餘緊緊包住漸縮的陽具，直到他喊痛。幸好她滿意了，她在笑，普萊爾在胸腔深處聽見她的歡笑。

美中不足的是他的下體濕答答，太濕了。他從她身上爬起來，向下一看，發現白沫狀的精液，像蛋清一樣被攪得白糊糊，抹在兩人的陰毛上，宛如馬嘴吐出的口水，宛如浪頭被海風往回吹的白水泡。然而，對普萊爾而言，這幅景象代表一件事。俗稱強尼——在這種狀況下，同名太不湊巧了——的保險套仍在莎拉體內。

莎拉伸手進去摸。「不要緊吧，」她說。「流光了。」他用手指勾出來，兩人瞪著套子看。

他聽見的不是油滑的滾輪聲，而是堅定的足音，一步步接近門口。他急忙將保險套拋進爐火，一百萬個小比利和小莎拉吱的一聲，全葬身火窟。如果另一百萬個還留在裡面，燒死他們也不值得欣慰。她把裙子放下來，坐上母親的椅子，留著汗，急如熱鍋上的螞蟻。普萊爾正要坐下，赫然瞥見她的內褲掛在家傳《聖經》上，一腳爲約伯與膿瘡的故事遮羞。他把內褲抓過來，從脖子塞進制服裡，因此來不及釦好褲襠。他捧起《聖經》，放在大腿上坐著。

「怎麼了？」艾妲說。「你剛才怎麼一回事？」

莎拉說：「比利想起一個朋友啦，媽。」

普萊爾單手托腮坐著，模仿大衛悼念約拿單的姿態，演技尚可。

艾妲嗅一嗅空氣。「莎拉啊，妳回家怎麼不燒水呢？俗話說得好，心想卻不動手，事事不成吶。」

艾妲說完進入廚房。辛西雅怯懦的眼神在兩人之間遊走，然後坐在沙發邊緣。比利把莎拉的內褲從制服裡拉出來，扔向前廳另一邊的她。辛西雅見狀憋聲尖叫，把衣服夾進兩腿之間，活像一個怕尿褲子的小女孩。莎拉鎮定地站起來，穿上內褲，普萊爾則慌忙釦好褲襠，以聖經遮光。

艾妲回到前廳。「你錯過一場好戲了，」她說。「洛普夫人暈倒了，被抬出去。幸好，你們更懂得善用時間。」她指向聖經。

「裡面有一段提到戰馬，我剛想找出來給莎拉讀。找不到也沒關係了，反正我背得出來。」他直視著艾妲。「牠馳騁谷地，以氣力旺盛自喜，上前迎向士兵。牠無視恐懼心，聊無懼怕，見劍亦不退卻。號角聲中，牠說哈、哈，嗅到遠方戰地之氣息，聽聞將官之吆喝，亦聽見叫囂聲。」

他起立，聖經歸回原位，意識到三張臉對著他目瞪口呆。尷尬的一刻。「希望各位別介意，」他說：「我想躺下來休息。」

母親准莎拉獨自去火車站送行。她與普萊爾站在空蕩的月臺上，身心交瘁，被迫珍惜相處的最後時光，兩人卻暗中希望快點結束，也爲這種念頭自責。

他牽起莎拉的手，親吻訂婚戒指。「別擔心，莎拉。」

「我不擔心。」她微笑。「明年此時。」

他壓根兒沒考慮到婚禮的事，因爲莎拉表明她不願婚禮辦得太倉促。明年宛若隔世。也許更長一些吧。他看著一隻鴿子走在月臺邊緣，紅腳在水泥地踩出喀喀聲。「來吧，」他說，「我們沿著月臺走走。」

細雨被風吹落，他們躲進車站內避雨，北國白光從布滿煤灰的窗戶滲透進來。莎拉冷得臉蛋縮成一團。

「你一到，要趕快寫信。」她說。

「我到倫敦會寫信給妳。妳要的話，我上火車就寫。」

她微笑搖頭。「你向你媽報告過了，我很高興。」

「她聽了好開心。」

母親其實聽了一臉驚恐。

——娶一個女工當然啦職業不重要只要你幸福就好可是我覺得憑你的條件娶得到比女工更好一點的對象。

父親以爲耳朵聽錯了。

——結婚？你？

——王爾德不也結過婚嗎，爸？普萊爾當時忍不住頂嘴。

然而，父親還是去車站送行——四年來頭一遭——而且輪夜班的他居然起床送他，而且還穿上他的週日西裝，而且刮了鬍子，而且沒有酒醉。天啊，普萊爾當時心想，萬事俱備，只欠花環。

一粒硬硬的小驚惶卡在普萊爾的喉嚨裡。是預感嗎？才不是，沒有那麼不吉祥。也許是微微感覺自己太僥倖吧。這是他第四次，四次未免太多了。

「我想他們應該會邀請妳來我家作客。」

莎拉微笑。「我還是等你回國再說吧。」

他偷偷看錶。該死的火車怎麼還不來？隨後，他看見火車從遠處駛來，躊躇著爬行，後面拖著一條蒸氣。仍聽不見聲音，但他再向月臺邊緣前進一步，卻能感受或察覺到鐵軌的震動。他轉身面對莎拉，擋住火車接近的景象。

她正抬頭望著椽木。「你見過牠們嗎？」

普萊爾順著她的視線望去，看見每一道椽木都站滿鴿子。「大概比較暖和吧。」他語焉不詳地說。

進站的火車隆隆巨響，震撼到鴿子，頓時群鴿齊飛，全體從玻璃屋頂底下鑽出去，嘩然振翅的動作畫一，迴旋、側轉、俯衝、兜圈，在煙氣彌漫的天空形成一股黑浪。普萊爾與莎拉張嘴觀望著，醉心於如此廣無際涯的自由，原本牽著的手鬆開，終於能夠心無雜念，火車此時吐著蒸氣進站。

第六章

喝完茶後，瑞佛斯帶著凱瑟琳的相簿，上樓進到她的房間。探望凱瑟琳時，他常攜帶親朋好友的相片來訪，因爲他知道妹妹看了相片會有多高興。她坐在床上，褪色的棕髮以藍緞帶紮著，粉紅色睡衣夾克披在肩膀上。藍配粉紅：育嬰室的顏色。他把妹妹大腿上的托盤端走，給她相簿與相片。

其中一張相片是在帝國醫院與工作人員的合照，凱瑟琳指著相片說：「你又擺出那副『我不想入鏡』的表情，」她說著把相片舉向光源。

「嗯，我是不想入鏡。」

她已忙著在相片背後塗漿糊。「土著認爲相機會偷走靈魂，是眞的嗎？」

「有些土著。思想比較靈活的土著。」

她以手帕細心按著相片周圍，把多餘的漿糊抹掉。「這張把亨利．海德醫生拍得很好。」

「唉，亨利才不擔心咧。他根本沒有靈魂。」

「威爾。」（譯註：瑞佛斯的名字是威廉，暱稱為「威爾」。）

他看著托盤。「妳吃得不多。」

「伊莎能放假，我很高興。這是令人驚嚇的一年。」

拉姆斯蓋特鎮近來慘遭沉重砲擊，老百姓喪生無數，居民以婦孺為主。凱瑟琳的健康長久以來就令人憂心，如今更急轉直下。伊莎原本照顧年邁的父親，接著又照料不良於行的妹妹凱瑟琳，已顯露慢性疲勞的跡象，因此兩位兄長決定採取行動。伊莎不肯度長假，說什麼也不願走，但她同意去朋友家過一個週末連續假期。

「車子好像來了，」瑞佛斯說。「我最好去提行李下樓。」

他在走廊看見伊莎正以帽針固定帽子。

她仍放不下心。「對了，」她說，「你有電話號碼嗎？」

「有。」

「你確定有嗎？」

「確定。」他輕推大妹至門口。

「等一等。你聽著，威爾。如果你擔心，趕快叫醫生來，不要遲疑。」

「伊莎，我是醫生啊。」

「不對，我指的是正規醫生。」

回頭上樓時，他的臉上依然有笑。

「她走了嗎？」

「走了，被我推出門，不過她確實是走了。妳把相片全貼好了嗎？」

他取走相簿，開始翻閱，見到一張他與托勒斯海峽遠征隊的合照，一群人打著赤腳，穿短袖上衣，滿臉大鬍子，皮膚曬得黝黑，戴著各種惡狀囂張的帽子，怎麼看也像是預算拮据的《彭贊斯的海盜》劇作團隊。大英的人類學菁英做這身打扮？他心想，願上帝保祐我們。他再翻幾頁，停在他住在海德堡時的留影。腮鬚留成那樣，當年腦筋壞掉了嗎？

「我就知道，你翻到這張會停下來，」凱瑟琳說。「是她，對不對？壯壯女。」

「愛瑪？當然不是。」拍照時他湊巧站在愛瑪身旁，兩個妹妹因此揶揄得他半死。「再怎麼說，她也不胖，而是……自在。」

「她是胖。告訴你，我們那時眞的以爲你會娶她。除了她以外，我們沒見到你跟別的女生在一起。」

「妳又錯了。媽邀請過好多小淑女來家裡喝茶，記得吧？」

「我記得你溜上樓，不想和她們在一起。你那時就像道季森先生。他以前常溜走。」帶有童稚心的她有時顯露兒童敏銳的觀察力。

「像道季森？那就慘了。」

「你那時不喜歡他，對不對？」

他猶豫著。「對。」

「你在嫉妒他。你和查爾斯都是。」

「對，我想我們是嫉妒。啊，這個才是我在找的女孩。」他說，舉起一張白衣少女的相片。即使暈黃褪色，仍可辨別兒時的凱瑟琳姿色多麼出眾。

道季森翻開書，落地燈照在他的側臉上。

「要要不要等等卡卡卡凱瑟琳？」他問。名字卡在他的舌頭上。

威廉．瑞佛斯與弟弟查爾斯坐在沙發上，想著，道季森喊不出名字，是因爲k音是道季森最困擾的子音。難倒瑞佛斯的子音是f和m。

「不用了，我們開動吧，」父親說。「總不能因爲凱瑟琳遲到就害大家苦等。」

「她很快就會回家，」母親說。「她的肚子是個準時的時鐘。」

「妳不擔——擔——擔——擔——擔……？」

「不太。她知道她不能脫離院子。」

父母互使眼色，被小瑞佛斯攔截到。母親不應該替道季森接句，應該讓口吃的人跌倒再站起來，無論拖再久都一樣。

道季森先生朗讀時比較不會結巴。爲什麼呢？因爲他太熟悉書中的文字了，不經思考就能讀出聲音？另一個原因或許是，雖然他朗誦著，其實只讀給伊莎一人聽，而伊莎坐在他身邊，蜷縮在臂彎裡，看得見插圖。或者是因爲書中文字全是他的心聲，他毅然不顧一切說出來？原因絕對不是他把心思放在舌頭的動作上——這是父親矯正口吃的要訣。

「兔子洞，」道季森先生朗讀著——嚴格說來是背誦，因爲他的視線不在書頁上，而是落在伊莎的頭頂，「像隧道，直通向前，延續一段路之後才驟然陡降，愛麗絲來不及應變，一股腦兒掉進一個非常深的——」

凱瑟琳衝進來，熱呼呼、髒兮兮、蓬頭垢面，拉著帽子的藍色長緞帶，嘴邊沾滿覆盆莓的紅汁，骯髒的小手黏有沫蟬的泡泡。她直接走向道季森先生，送他一束鮮花。天氣熱，花被烤倒，癱在她的手背上。

他從她手裡接過去，傻傻坐著，不知該把花擺在哪裡才好，這時忽然注意到一個東西。「看，」他說，「妳的頭髮——髮有一隻瓢——瓢——瓢蟲。」

凱瑟琳站起來，全神以口呼吸，讓他細心撥開頭髮，以指尖誘導瓢蟲出來。他讓凱瑟琳看他手指上的瓢蟲，然後小心翼翼站起來，本想把瓢蟲帶到窗口，不料赤紅的圓殼分裂，黑翅膀伸展開來，瓢蟲翩然飛走，在藍色空氣中徒留一粒黑子。

道季森坐下，把凱瑟琳抱到大腿上，另一手再次摟著伊莎，重拾故事書。

他開口，「話說——」大家聽了大笑。

「記得他多怕蛇嗎？」凱瑟琳說著向後挪，背靠枕頭，太陽照耀著漸漸花白的頭髮。

「對，我記得。」

瑞佛斯心裡想著，凱瑟琳的人生道路是愈走愈窄。孩提期間，四個手足擁有一百英畝的樹林與原野，忘情其中，沒有危險。後來，瑞佛斯長大了，人生道路寬闊起來：醫學院、環遊世界的隨船醫師、德國、托勒斯海峽、印度、澳洲、所羅門群島、新赫布里底群島。在同一段期間，原本整天在樹林原野穿梭的么妹凱瑟琳也長大了，受人尊稱爲瑞佛斯小姐，接受父親信眾的審視，再輕微的逾矩也逃不過信眾的眼光。後來父親退休後，她住進拉姆斯蓋特鎮的一棟小房子，健康每況愈下，從此每日蝸居家中，爾後行動限制於臥房裡，最後連床鋪也無法下。然而，本質上，她的神經衰弱症其實不比瑞佛斯嚴重。奈何良好的心智需要營養來滋潤，而她的心智缺乏其他養分，只得蠶食自我。

瑞佛斯慢慢說：「我大概記得，大部分日子耗在槌球上，打個沒完。」天啊，他記得，一打就是幾小時，打到太陽變紅，斜掛樹梢。道季森拱身從凱瑟琳背後環抱她，大手握小手教她，球與槌撞擊的咚聲，母親的呼喚橫越草坪而來，聲聲問：還要玩多久？凱瑟琳該進來了。「數學槌球，」瑞佛斯說。「沒人能贏。」

「我以前常贏啊。」

「他幫妳作弊。」

「對。」淡淡一笑。「我知道。」

有一次，大家來到河邊，凱瑟琳想戲水，道季森的翻領上有安全別針，想用別針爲她撩裙固定好。道季森常爲她別裙子，所以特別隨身帶別針。但這一次，她把道季森推開。是他的目光有異樣的熱切？是手的動作別有用心？她挨母親的罵，但道季森勸說：「別罵她，隨她去吧。」

「他的信被我們搞丟了，好可惜。」瑞佛斯說。

「對呀，他的素描也是。」整箱子的東西全失蹤了。我確定，威爾堂叔公的那幅畫也是在同一段時期失——」

「我怎麼不記得那幅畫？」

「你記得啦。」凱瑟琳說。

「以前掛在哪裡？」

「掛在樓梯最上面。畫面太慘了，你不敢掛在大客廳。」

「什麼樣的畫？」

「威爾堂叔公的腿被切掉。旁邊守著一個人，拿著一缸熱騰騰的焦油，準備在截肢後淋在傷口上。」

「妳確定嗎？」

「你不喜歡那幅畫。早上大家下樓時，我常見你故意不看。你會做這種動作。」她把頭偏向一邊。

「妳讓我另眼相看喔。」

謙虛的勝利一笑。「我記得的東西比你多。」

在她說話的同時，瑞佛斯隱約想起一件事，印象微乎其微。他記得父親抱他起來，要他看某種物品。瑞佛斯的頸背產生一種不設防的詭異感覺。「父親爲了查爾斯和我，費了不少心力，對吧？」

「你比二哥更令他操煩。」

「啊，也對。我是他的白老鼠嘛，不是嗎？每家的頭一胎都是。」語氣裡的怨恨多了一點，連他自己也不知道爲什麼。他把往事撇開。「我去泡一點可可來喝，好不好？然後我建議妳多睡幾小時。」

——你記得他怕蛇嗎？

——對，我記得。

麻煩就在這裡，瑞佛斯心想。他在備用臥房脫掉襯衫。這間原本是父親的書房。麻煩在於，我對她的童年印象比自己的童年深刻。只不過，從旁觀察別人的生活，總認爲對方的生活有自身欠缺的一種形狀與清晰度。

說也奇怪，瑞佛斯不記得堂叔公的那幅畫，小他十歲的凱瑟琳卻記得清清楚楚。他絕對是看過那幅畫，反覆看過無數次。堂叔公的姓名同樣是威廉．瑞佛斯，年輕時在《勝利號》擔任候補少尉，曾擊斃納爾遜的槍手。至少家族之間有此一說。此外，偉人死前氣若游絲，並未要求哈代艦長獻吻，更未將情婦漢謬頓爵士夫人託付給感激他爲國捐軀的國民，兩者皆爲無稽之談。納爾遜的遺言反而是：「爲我照顧小威爾．瑞佛斯。」而小威爾．瑞佛斯確實需要關照。他的口與腿受傷，而腿傷嚴重到必須截肢。由於當時無麻醉藥，只能靠蘭姆酒鈍化神智，然後對著傷口淋滾燙的焦油，爲鮮血激射的傷口止血。我的天，當年能挺過截肢手術是奇蹟一樁。堂叔公全程吃盡苦頭——又是家族有此一說——卻從頭到尾不喊痛。他逃過鬼門關，結婚生子，當上格林威治醫院的院長。擺在醫院美術廳裡的正是他的半身雕像。

他這才想起，父親帶他去參觀的就是堂叔公的那尊雕像。那天父親抱他看的，是同一尊雕像嗎？不對，那年他應該八、九歲大。

接著他想起來了。在不太經意的情形下，一顆往事氣泡浮出水面。有一天，父親帶他去理髮。前不久，他剛開始穿馬褲。對，就是理髮的那天。想到這裡，瑞佛斯的頸子覺得怪怪的，腿也是。而且哭了起來。沒錯，全想起來了。在理髮店裡，他哭得呼天搶地，丟父親的臉。爲什麼哭？因爲他看見自己的一小部分被剪掉了，身體的一小部分掉在地上。父親叫他別哭，他不聽，於是摑他的腿。小瑞佛斯倒抽一口氣，肺臟脹滿，哭得更嘹亮。這麼看來，讓他看那幅畫是一種教訓？不准做那種表現，應該表現得像這樣。父親抱他起來，說：「他沒哭。他連一聲都不吭。」

而我從此口吃，瑞佛斯心想。他傾向於往詼諧的一面思考。對一個四歲小孩而言，夏日難熬，特拉法加戰役、拿破崙戰爭對他又有何意義？無意義，一點意義也沒有。或者更糟的是，意義單純得令人害怕。同名同姓，腿挨掌摑，被父親命令不許哭。小瑞佛斯當時或許看著那幅畫，得到的結論是，姓名是威廉．瑞佛斯的人就會有相同的下場？

凱瑟琳說，他小時候儘量迴避那幅畫，甚至轉頭，以免路過時不慎瞥見。是否他也刻意壓抑這幅視覺影像，迫使自己的大腦看不見它？輔導普萊爾的過程中，瑞佛斯曾透露自己幾乎全無視覺記憶，自認起因是童年遇到某件事，後來遺忘成功。普萊爾一聽，蠻橫地說：「你被強暴了，不然就是被毒打一頓……管它是什麼，事情發生以後，你弄瞎了心靈眼睛，省得以後再看見。事情是不是這樣？說啊。」當時瑞佛斯被迫承認，是的，但他也強詞辯稱，換一種角度來詮釋，那件兒時往事未必是大事，有可能是芝麻小事一樁，只不過孩童認爲很恐怖，例如育嬰室門後掛著晨衣，陰影引發可怕的聯想。瑞佛斯當時堅稱，幼童不像成年人，令幼童恐懼的事物可能被我們認爲是芝麻小事。

被壓抑的往事就是這件嗎？瑞佛斯不知道。是芝麻小事嗎？嗯，就某種層面而言是的，與普萊爾的駭人想像相形之下是的。腿挨一巴掌，太愛面子的慈父培養小孩的男子氣概，這些往事與虐待狂式的毒打或性侵害差得太遠了。然而，乍看之下，那件往事是小事，近看才知不然。那份沉默狀——對他而言，那幅畫的重心在於畫中人不出聲，而非鮮血飛濺，而非那把截肢刀，重點是那張堅決咬牙的嘴。行醫的每一天，瑞佛斯看著一張張曾經咬牙緊閉、如今抽搐不停的嘴。他多想告訴病患但鮮少說出口：哭吧，哀慟一下無所謂。精神崩潰不是什麼可恥的事——壓力逼得身心無法承受。但瑞佛斯也想說，別再哭了。站起來。走一走。那幅沉默狀，瑞佛斯既存疑又爲它背書，他心想，這是他身爲父親之子的使命。

他搭火車至格林威治，進美術廳參觀堂叔公的半身雕像，然後搭輪船繼續上路，於傍晚抵達威斯敏斯特市。地下鐵人潮洶湧，他攔不到計程車，最後車子載著他轉進霍富路時，他看見普萊爾站在門階上。「你敲過門嗎？」瑞佛斯問。

「沒有，我剛看見你來了。你剛從醫院下班嗎？」

「不是，我去了拉姆斯蓋特一趟。」他取鑰匙開門。「如果我們踮腳尖穿越玄關的話……」

普萊爾微笑。他遇過瑞佛斯的房東太太無數次。

「不見敵軍。」瑞佛斯說。

兩人並肩上樓，瑞佛斯發現普萊爾的呼吸多自然。這年夏天，他在樓上得知普萊爾來了，有時會聆聽普萊爾上樓的腳步聲，默數他歇息的次數，從未出門至樓梯口迎接他——迎接病患是瑞佛斯的習慣——因爲他明白，普萊爾多麼怕被人看見自己氣喘的狼狽樣。但現在，普萊爾的胸腔至爲順暢，也許是因爲他能如意歸建，心情特別開朗吧。瑞佛斯打開房門，站開來，讓普萊爾進入。

輔導普萊爾至今，衝突的場面仍時時發生，瑞佛斯在心裡設法預防今天與他針鋒相對。普萊爾最喜歡紛爭的場面，針鋒相對時樂得津津有味，但他事後會後悔。「坐下吧，」瑞佛斯說著接下普萊爾的外套，指向爐火邊的椅子。「近來如何？」

「滿好的。呼吸順暢。舌頭也聽話。」

「還做惡夢嗎？」

「嗯……幾次。有一次，我夢見左輪準心裡的人臉——你知道，就是專吃嬰兒、張牙舞爪的德國佬——結果準心裡的人臉變成我愛的人。不過，在我扣扳機之後才變臉，所以我莫可奈何。遺憾啊，我每次都斃了你。」

「啊，照你這麼說，做這種惡夢不是壞事囉？」

兩人相視微笑。瑞佛斯認爲普萊爾完全言之無心，但對普萊爾妄下這種定論總有危險。或許原因是瑞佛斯最近常想起父親，所以比平常更容易意識到他與普萊爾之間強烈的父子因素。瑞佛斯沒有兒子；普萊爾徹底排斥生父。「喔，對了，恭喜你訂婚。」

普萊爾悶哼。查爾斯．曼寧的賀喜也很倉促，但曼寧的倉促情有可原，因爲他不得不吐出普萊爾的陰莖，才有辦法講話。「謝謝你。」

「結婚日敲定了嗎？」

「明年八月。我們在八月認識，在八月訂婚，所以……」

「什麼時候去法國？」

「今天晚上。我很高興去得成。」

「對。」

普萊爾微笑。「你呢？你認爲我適合歸建嗎？」

略微遲疑一陣。「假如你能再服十二個星期的國民兵，我應該會更高興吧。服完國民兵，」他不顧普萊爾插話，繼續說：「十一月底照樣能回法國歸建。」

「爲什麼？」

「你知道爲什麼。兩個月前，你出現失憶症，病情其實相當嚴重。不談這種純屬假設的規畫了。當時不是我的決定——」

普萊爾向他彎腰。「我本來擔心你會寫進去。」

「我從沒想到誰會考慮核准你歸建。」

「我認爲醫官反對。誰知道？總之我的印象是這樣。至於醫評會嘛，他們是想讓我歸建。我想上戰場。」

「醫評會問你什麼問題？神經方面的問題？」

「沒有提到。他們不信世上有彈震症這種病。有多少醫評會不信，說給你聽，保證你驚訝。」

瑞佛斯說：「哼，我才不會驚訝。反正你是歸建成功了。你的心願滿足了。」

「現在的我是等不及離開英國。」

「有什麼特別的原因嗎？」

「其實沒什麼。只是被一些現象惹毛了。」他遲疑一下。「曼寧帶我去認識勞伯．羅斯。你跟他認識吧？透過薩松介紹？」

「打過照面。」

「他風度翩翩，我欣賞他——不過，他有些朋友，我可不敢恭維。」

瑞佛斯等著。

「尤其是其中一個。據說他被男友放鴿子了。他本來期待過一個甜蜜蜜的週末，結果男友嫌里茲到倫敦的車資太貴，決定省下來。被放鴿子的這個人，他姓勃妥索，他說：『當然，誰能指望他們呢？他們的價值觀跟我們天南地北。說真的，他們屬於另一個品種。他們是ＷＣ。』嘻嘻笑一笑。」

瑞佛斯一臉困惑。

「工人階級（working classes）。廁所（Water-closets）。這些ＷＣ上戰場犧牲卵蛋，好讓他繼續自詡為糞堆上的百合花。天啊，這種人讓我噁心。」

「相信你在那種狀況能應對自如。」

「才沒有，所以我才覺得困擾。麻煩在於我是客人，不得不禮貌。對羅斯禮貌，當然不是對他。言歸正傳，我決定給這個白癡一點教訓，所以後來轉移陣地到樓上。」

「你和曼寧？」

「不對，是我跟勃妥索。勃妥索與我。」

「聽起來不太像是一種懲罰。」

「是懲罰沒錯啦。最深刻的羞辱是性事上的羞辱，瑞佛斯。沒人忘得掉。」

瑞佛斯望進這雙不可靠的眼睛，暗想，天啊，我可不想惹你生氣。只不過，治療過程中，瑞佛斯確實多次惹他生氣，而且不只一次婉拒「轉移陣地到樓上」的邀約。

「我只但願你在英國的最後一夜過得更愜意。」

普萊爾聳聳肩。「還好啦。只是……他碰巧象徵不值得上戰場賣命的所有英國事物。換言之，他是個相當令人心曠神怡的友伴。」他看手錶。「我該走了。我搭的是午夜班車。」

瑞佛斯猶豫著。「請你別誤解，雖然我個人建議你在英國再服三個月的國民兵，並不表示我不相信你有能力去……去……」

「效忠國王和國家。」

「對。」

「瑞佛斯，你根本不認爲我應該歸建。」

瑞佛斯遲疑著。「奎葛洛卡的醫評會建議你服終身國民兵，著眼點不是你神經方面的問題，而是純粹看在你有氣喘病。我還沒看見能讓我改變心意的現象。」

普萊爾望著他，微笑著，在他的雙臂上拍一拍。「我不走不行了。」

瑞佛斯取來普萊爾的外套，慢條斯理說：「你有一次對我說，歸建的軍人是眞正的實驗案例，記得嗎？爲的是判定哪一種療法有效。」

「對，我記得。」再次微笑。「我是在找你的碴。」

「你時時都是。我嘛，只是突然想到，你其實比多數人更有資格觀察實驗過程。我認爲你置身事外的能力很強。」

「你想罵的是『冷血的小雜種』，」普萊爾爲他轉譯，隨後思考片刻。「你是想給我一顆足球，讓我踢進敵陣，對不對？你記得那故事嗎？索姆河吹哨子了，薩福克隊還踢足球穿越無人地帶？瘋到不像話。」

瑞佛斯說：「不對，瘋的是索姆河之役。足球的精神正常。命令他們踢足球的人一定是個醫術高超的精神醫生。」

「啊！」

「不過，我懂你的意思。這事件成了讓人再也認眞不得的一件事。只不過，這樣想，對不對，我不是很確定。我認爲，應該問的是，信奉一份理念的人如果遭背叛，那份理念是否因此失效。」

「如果抱持那份理念會把他們變成天眞的白癡，是的。」

「是嗎？」

普萊爾說：「就算他們是，我也不能多嘴。我就要回部隊了。」

瑞佛斯微笑。「所以你不想要我的足球囉？」

「正好相反，我認爲足球是個棒透了的想法。我會把中場的比數報給你知道。」

瑞佛斯先細看他的外套，然後才遞給他。「佩服。」

「看了價錢更欽佩。」普萊爾開始穿上外套。「市面上買得到一種大衣，裡面有紅絲內襯，你知道嗎？」

「軍用的長大衣？」

「對。我在皇家咖啡廳飯店看見過。大衣主人是我以前在情報處的同事。他翹起腿的時候啊，效果驚人，紅通通的，像狒狒的屁股，太張揚了。據說他的任務是坐在那裡，『吸引反戰分子的注意』。」

「是嗎？」

「他的確能引人注目。那些人對戰爭的觀點怎樣，我倒是不曉得。所以我才更高興能脫離這裡。」他伸出一隻手。「不必下樓了。」

瑞佛斯照他的意思，但普萊爾走後，他走向臥房窗口，撥開窗簾一吋向外觀望。他聽見房東太太爾文笑著道別，接著看見普萊爾縮小的身影奔下樓梯。

瓦奧（Vao）有一種習俗，某人未婚產子之後，島上某領域的首領會出面領養，把小孩視同己出，小孩會喊他父親，在親情與關愛的灌溉下成長。進入青春期之後，由於他身爲長老的公子，在殺豬祭神的儀式中，他有幸牽著長牙野豬進場。獠牙的長短代表財富多寡。他領到新手環、新項鍊、新的陰莖套。全族人到場參加儀式，人人皆知即將上演的戲碼。眾目睽睽下，他牽豬至獻祭岩，父親舉著棒子等著。男孩一接近，父親手裡的棒子向下揮，一棒擊碎兒子的頭顱。

瑞佛斯的父親曾在美斯頓的聖菲絲教堂服務過，祭壇左邊的窗戶畫著亞伯拉罕舉刀準備弒子的景象，而父子的下方畫著角纏灌木叢的公羊圖案。瓦奧與教堂代表野蠻與文明之間的差異，因爲在教堂裡，上帝即將出言禁止獻祭，當事人即將住手。瑞佛斯跪在那座祭壇的欄杆前好幾年，數週日如一日，從父親手裡領受聖餐杯。

瑞佛斯望著普萊爾的頭在樹籬後面起伏，從視線消失，這時心想，也許是最近想太多父子情的事了，文明與野蠻的獻祭事件才會重返腦海，但他但願這段往事換個時間冒出來才好。

第二部

第七章

一九一八年八月二十九日

這信紙買了很久，在報業街附近文具店買的，一直留著不用，主要是因爲太高貴了。當初是看在它封面的大理石花紋，紙質綿厚，結果買回家之後，它一直罵我，滾蛋啦，你算什麼？能在我們上面寫啥値得讀的東西？那間文具店的裝潢華美，是眞正沿襲古風的一家文具店。文具店、二手書局、五金行。目前迫切需要專心在小小的樂趣上。如果人的一生能一言以蔽之，能單手掌握住，能活在當下，那麼光陰就毫無意義了。沒有末日的世界，阿門。

屁話一堆。我們需要的是事實啊。事實。

抵達倫敦，找不到腳夫，招不到計程車，問問旅館全爆滿。查爾斯．曼寧在月臺上（火車誤點嚴重，我本以爲他早回家去了），主動提出應變之道，願意讓我借住他在半月街上的租屋。他承租的原因是：「加班如果太晚，回家睡覺會吵醒家人，所以在外租屋夜宿。」我多想說，唉，查爾斯，少來了，是我耶，記得吧？我推說，再走訪幾家旅社看看，但他的腳跛得厲害，一副很痛苦的模樣，而且在生我的氣。他氣我爲了歸建而丟下軍火部的閒差事，不像他安安穩穩地坐辦公桌。（軍方願意接受他的話，他明天就自願回法國。）

來到半月街，我們直接上樓，他取出一瓶威士忌。滋味不賴（但他平常也不喝這種酒），我等著他做出一般人在類似狀況下會做的舉動：收住宿費。他當然不會。算我命苦，到處碰見情操高尚的人。我暗想，拜託你，你沒膽索費，就不要索費吧。我累了，身體髒黏黏的，好想泡個澡。在肥皂水裡泡了十分鐘，威士忌在胃腸裡發酵，我舒服了不少。我照著浴室鏡子，默默地自我諮商，浴室充滿蒸氣，膚色粉紅，一副滿腹陰謀的模樣。走出浴室後，我說，好，你等著被上吧，去床尾趴著。像他這種人通常喜歡被宰制，因爲日常生活中，他們不必大聲叫喚，下人就會爲他們奔走。

事後，我們外出晚餐，回房後查爾斯逗留一陣子，介紹羅斯給我認識。羅斯是個很不一樣的人，模樣接近華人，不只是外形，而是他散發一種文明古國的氣息。我一面和他握手，一面想到，我握的這隻手也……是啊，他確實和王爾德有過一手。這個小團體被敵人包圍，我置身裡面卻怡然自得。我之所以用「被敵人包圍」形容，是因爲羅斯自認即將被逮捕，認爲醜惡的潘波頓．畢陵審判案讓警方肆無忌憚，隨時可以前來收押。他或許是誇大了被逮捕的風險，他的面容病懨懨的，看起來像常上床沉思似的，但在場有一兩人，包括曼寧在內，也不排除被逮捕的可能。儘管危機重重，氣氛還算融洽。不是好戰分子的軍人，不是假君子的和平分子，齊聚一堂，彼此交談。這才是奇蹟。

但其中另有一人——勃妥索。他在劍橋教書，據說非常聰明。匪夷所思的是，他居然自豪比一般人對英國社會脈動的掌握更深更廣。「掌握」？「捅勞工階級男孩的屁眼」才對吧。和他條件相當的異性戀者如果做類似的事（溜去貝斯諾格林貧民窟爽到腿軟），應該不會自豪這種經驗能擴展對社會動脈的掌握吧？勃妥索若聽見我的心聲，他會說，啊，我體驗的是至情交往，怎能相提並論呢？他確實也如此說。更用到肉麻兮兮的愛字。可是，他提到他那個工人階級的男友——他的WC——語氣是徹底輕蔑。何況，他沒有料中我的出身，沒能精確「掌握」我的階級。後來，我找他玩了一場相當殘酷而變態的遊戲，當時大大滿足了我，現在卻讓我覺得身體受到污染。假如我當時對準他的睪丸踹一腳（對他反而比較仁慈），我必定不會有渾身髒的感覺。

交歡之後，曼寧的態度變得非常怪異。拉大了和我的距離。部分原因是事情跳脫他的規畫——或自認無心上床——另一部分的原因只是我歸建成功，他歸建不成。兩人之間隔著兩吋的床單——如萬里之遙。他走時，我好高興，而他現在不在我身旁，我更樂不可支。性事再美好，也難比有一張窄床和涼爽乾淨的床單可睡。（交歡後的反思——有這種說法嗎？沒聽過。）

八月三十日

今天去領大衣。我懶得寫它花我多少錢，只知道衣服暖和輕盈，中看中用，全是我要的條件。接下來的時間到處閒蕩。晚餐在半月街的房間吃。然後去看瑞佛斯。我決定不問他對我歸建的想法——特別不問他認爲我適不適合上戰場——但後來還是問了，果不其然被他的回答惹惱。

和他交談期間，我明確意識到——大概是因爲我好一陣子沒見他了——他之所以對人有一種作用力，也可以說是一種治療力，這種能力直接源自某種先天缺陷或後天傷害。他的長處很多，但他不用這些長處來治病。講這種話難免顯得瞧不起人，但我的感想確實是如此。事實上，以我而言，我最欣賞他的正是這一點——說實在話，看在這一點的份上，我才不至於覺得他難以忍受——因爲他不是守著辦公桌，不是以含蓄的言行自詡爲心理健全的標竿。他曾經對我說，全世界半數的正事都是無可救藥的神經質完成的。而我認爲他這句話的出發點是他自己。我也包括在內。

提早到火車站，班車一小時之後才來。曼寧前來送行。我但願他沒來，但他終究是來了，我們當然講著車站送行的那種很不舒服的對話。臨行人與送行者之間的漣漪蕩漾，令人受不了，因此臨別語是能省則省。然而，我們還是撐過來了，隔著車窗對望著，彼此都鬆了一口氣，然後走掉。或者說，走的人是我。

半夜抵達這裡（富克史東），筋疲力盡。我最近進出不少火車站，體會到一個心得：「珍重再會」全被困在屋頂下，把空氣裡的氧氣全部吸走。沒有其他理由能讓我產生這種感覺。

八月三十一日，星期六

醒來好累。但還是起床，不想浪費時間。開始留意到「浪費光陰」、「殺時間」這些說法。躺在床上，坐在陽臺上欣賞日出，決定去做大家總是考慮做的事，大家會再思考一下，然後睡回籠覺。我決定在早餐前游泳。所以走向海邊。在水濱的卵石灘上躊躇，叫自己別膽小，然後跳下水。水是帶有珍珠光澤的灰色，冷到極點，但最初一陣震撼過後，身心是徹底暢快。我站一下子，水淹到膝蓋，兩腿感覺潮來潮去，不在海中，也不在陸地上。太神奇了。清晨的太陽依然斜射。沙灘上的蚯蚓糞堆非常醒目，日光爲小東西拉出巨影，令我想起愛丁堡郊外的海邊。我在那裡和莎拉第一次嘗禁果。直接回營，寫信給她。然後走路通過市區，買巧克力之類的零食犒賞自己，迴避其他軍官。

看見哈磊特和他的家人，神態相當絕望。所有人都有這種神態，但我這裡指的是哈磊特。可憐臭小子的火車站珍重再會延續好幾天。我揮揮手，繼續走。

運兵船上

大家在底艙打牌，但現在浪大，我寧願上甲板看海。船身攪拌出淡綠的長尾巴，周圍飾以厚厚的泡沫，燕鷗凌空盤旋，嚴格說來是乘風而行，翅膀微調幾度就能維持騰空靜止。而且牠們飛得很近。

看著海崖消失。想用一句話紀念這個場景，斟酌半天，只想出：**離英國越遠，離法國越近**。結果這句話太可惡，在我腦子裡不停打轉，趕也趕不走。

哈磊特走來，站在幾碼外，不想干擾到我。他以爲我正在對祖國離情依依。最後我投降了，陪他坐下聊天。充滿唯心論。我倒寧願讀〈海象與木匠〉這首詩。

很明顯的是，哈磊特接受了我。不能說不像小小的領航魚或燕鷗。就因爲我出征過三次，他認定我懂狀況。這小孩看起來還算聰明。我懷疑，要過多久，他才會明瞭沒有人懂狀況。

九月一日，星期日

法國埃塔普勒基地的慘狀比我印象中的稍微輕一些，但仍有一隊士兵通過我身邊，迎面去挨那群俗稱金絲雀的士官臭罵，和以前一樣慘。讓人不禁想，無所謂吧，苦一點也好，反正就要上戰場了，皮鍛鍊得韌一些無妨——可是，從這角度去想，其實不夠周詳。讓這地方變得他媽的難以忍受的最大原因是把人當物體看待。大家誰也不認識誰。指揮士兵跑東跑西的，他們不認識軍官，不信任軍官（憑什麼要他們信任你？），軍官也不對士兵灌注任何溫情。

軍官與軍官之間亦然，但彼此不認人的情形稍顯輕微。我們睡在軍官宿舍裡，感覺像住進醫院的大病房——隱私被犧牲掉，卻未換得親密感。

哈磊特睡在鄰床，今晚坐在床上，拿女友的相片給我看——應該說是未婚妻。他的爸媽認爲他還未到適婚的年齡，他強烈反對這種看法，並指出，年紀大到能打仗了，怎麼不能結婚？我當然不認爲他的年紀大到可以打仗，但我含在嘴裡沒說。我告訴他的是，我也訂婚了，我拿莎拉的相片給他看。然後，我們兩人傻呼呼地相視微笑，感覺像透了呆瓜。我嘛，確實有這種感覺。

九月四日，星期三

這裡的時間過得很快。白天有足夠的事可做，自由時間相當多。但這裡的氣氛很糟。餐廳地板是被磨損的無色油地氈——假如悽慘能以顏色代表，這就是悽慘的顏色——中間放著一張大圓桌，上面擺滿有摺角的《龐奇》週刊和《約翰牛》雜誌，和牙醫候診室一模一樣。遍地彌漫著同樣的恐懼。大家同樣不願在大概一生不會再遇見的人身上浪費時間。

我能出去就儘量出去。今天走了幾哩遠，山麓強風多沙，有長長一列長不高的松樹，全部駝向陸地。

九月七日，星期六

分發至第二曼徹斯特軍團。明天出師。

現在入夜了，大家振筆疾書，在保密範圍之內向親朋好友報告消息。我在宿舍左看右看，除了翻動紙張的聲音，除了此起彼落的沙沙寫字聲，幾乎聽不見其他聲響。每天晚上都像這樣。而且，大家寫的不只是信。有人寫日記。有人寫詩。在這間小宿舍裡，至少就有兩個立志當詩人的軍官。

不得不問的是，爲什麼？我想這是一種聲明豁免權的舉動。第一人稱的敘事者不會死，因此只要我們繼續敘述生活裡的點點滴滴，就能安然活下去。哈哈，臭他媽的太可笑了。

第八章

瑞佛斯轉身遠望落日西垂，膨脹變紅，變成一個血腥殘酷的圓盤子，表面有房舍的尖頂與工廠煙囪形成的瑕疵，光輝被飄浮的褐黃霾霧遮掩。

他來西思公園散步，因爲他覺得身體不適，需要在晚上辦公之前醒醒腦，然而散步非但無助於振奮身心，反而每走一步愈發不舒服，肌肉疼，喉嚨痛，眼睛刺癢，皮膚濕冷。回住處時，他已決定省略晚餐，直接就寢。他去敲房東太太的私人公寓，告知身體不適、不想進餐的消息，這時他向門內瞥一眼，看到她家壁爐架上方掛著一幅悼念兒子的畫像，下面插著一束花，兩旁立著蠟燭。

瑞佛斯緩步上樓，不時挨著欄杆歇息，回想方才見到的景象：畫像、花朵。追思壇。基本上與恩吉魯帶他參觀的髑髏屋並無二致。兩者的人心驅動力相同。不同文化之間的異同點頻頻在心海裡相互映照，很難在其中理出一個頭緒。單從專業的觀點來看，這些對照的意義近乎零，但話說回來，這些體驗來自血肉之軀，而非來自徒具人類學專業的空殼。既然是血肉之軀的體驗，就不得不從中理解出一套道理。

一上床，他開始發抖。被單蓋上發燙的腿，感覺好冷。他沉入夢鄉，夢見老家諾斯邦克的槌球草坪，夢見白長裙洋裝的母親出來叫子女回家，夢見斜陽從樹梢投射出細長的影子，照在草坪上。球門的影子特別長而可怕。瑞佛斯醒來幾分鐘後，才發現自己想回憶數學槌球的遊戲規則。發明這種遊戲的人是道季森。居然愈回憶愈心慌意亂，因爲他記不起規則是什麼。接著，瑞佛斯明瞭到，雖然現在的他完全清醒，心眼卻仍看得見老家的草坪，這表示發燒非常嚴重。重拾視覺記憶是他發高燒時必有的現象，因此他偷偷喜歡生病，也隱然覺得可恥。他不肯再睡——熱過頭了——索性躺著，放任剛睜開的心眼恣意漫遊。

在前往愛迪斯敦島（Eddystone）的南十字星號上，瑞佛斯站在甲板上，觀看船尾的淺綠浪花在黑海上奔騰，不願捨棄徐徐微風而屈就底艙的悶熱。

有一次船靠岸，一群土著上船，男人穿著二手歐式西裝，女人穿著印有碎花的洋裝。有幾個女人袒胸露乳，但多數女人顯然已改信耶穌，看似一小群可悲的殘存者，蹲在船上。這一小群土著是浮萍，逐小島漂流，從一座傳教站流浪到另一座傳教站，沒有歸屬。一眼望去，似乎傳教站間間滿是改信耶穌的教徒，局外人總以爲這群土著來自那一座小島，事後才得知，這群浮萍人逐傳教站而居，多數來自被西方文化摧殘得特別慘重的小島。

瑞佛斯在他們之中蹲下。一如他所料，洋涇濱英語便足以溝通。他構思出一套問答法，能在最短時間萃取最多資訊，可應用在這一類的場合上。第一個問題總是：假設你運氣好，撿到一枚基尼金幣（guinea），你想跟誰分享？對方會回答一串名字，瑞佛斯接著問這些人的親屬稱謂。問到親屬之後，後續問題幾乎能涵蓋土著社會的每一層面。

當瑞佛斯察覺對方累了煩了，他以菸草棍相贈，起身想走，不料其中一名女子拉住他的手，拉他再蹲下，以調皮的態度戳著他的胸部，不諳英語的她擠出兩個英文單字說：「換你。」

她以相同的問題反問瑞佛斯，順序與剛才一樣。瑞佛斯回答說，由於他未婚也沒有子女，沒有分享金幣的必要，土著一聽，起初拒絕相信。他沒有在世的父母嗎？有，父親健在。兄弟姊妹呢？一弟兩妹。同一個母親，同一個父親？是的。但他不會自動與他們分享金幣，只不過，他可能選擇分享。

拉他蹲下的女人起初面露半笑的表情，接著，她確定自己理解意思了，才露出驚恐的表情。就這樣，問答持續下去。由於瑞佛斯設定的問題經過精心挑選，一問一答下去，就能逐漸形成一種印象——不是模糊的印象，在某些層面相當具體——對方能確知劍橋大學單身教授的生活情形。主要的反應是捧腹大笑。假如瑞佛斯能或願意陳述生活全貌給他們聽，訴說文明人如何在社會中削足適履，如何活在法治中、法治邊緣、逃避法律，他們聽了，會有什麼樣的反應？大笑。他們會一直笑下去。他們不會知道如何同情他。瑞佛斯仰望無雲的青天，頓悟到一點：他與土著對彼此的社會的觀感是半斤八兩。在他們面前，沒有大鬍子的白人長者欽准某一套價值觀或譴責另一套價值觀。有了這份領悟之後，整套囚禁人類、維持人類精神正常的社會道德規範霎時崩塌，剎那之間，瑞佛斯的處境一如這些居無定所的浮萍人，成了毫無羈絆的自由落體。

當夜他輾轉難眠。隔天，他與侯卡特轉搭不定期蒸氣輪船，前往此程最後一站。自由落體最後必然啪啦一聲掉在地上。在船上，瑞佛斯認識了一位象徵自由落體必然結局的人。這個人就是布列南。

甲板小船艙裡睡太多人，汗臭混合輪機油與椰乾的氣味。天空是北半球人看不懂的星斗，輪轉、螺旋著。

布列南睡在瑞佛斯對面，側臉被一撮漸白的鬈髮遮掩，宛如羅馬皇帝心愛的一撮頭髮任其荒廢。布列南打鼾、咕嚕、暫停呼吸、再度咕嚕、喃喃抗議一聲，好像有人吵醒他似的，然後繼續沉睡。艙房另一邊睡著米高神父。米高神父不久前才離開神學院，身後仍散發可可的香味，仍有一股熱心討論至深夜的氣息——討論別人房事貞潔與否。最後一人是二十五歲的侯卡特，外表比實際年齡輕許多，每次呼吸，上唇總有噘嘴的動作。

瑞佛斯猜自己最後一定是睡著了，但他覺得轉眼間，大家開始伸懶腰、蹣跚踏上甲板。

輪機室隔壁有一個小房間，熱如地獄而且不通風，船工睡在裡面。船工提著水桶走出來，打掃甲板完畢之後，順便爲乘客的身體大掃除，對著乘客的臉猛潑冷水，冷得乘客倒抽一口氣，失去視覺。布列南閉眼站著，一手放在豐腴的胸部中間，猶如長滿體毛的維納斯，水從鼻尖、包皮、皺巴巴鬆垮垮的陰囊表面的陰毛向下滴。像他這種爲生活增添莫大風味的人，很難讓別人對他生厭。

日出後，甲板受艷陽直射，蒸氣升空，大家開始尋找整天變換方位的蔭涼處。米高神父與侯卡特討論著島上傳教士的紀錄，險些吵架。侯卡特是維多利亞時代教區牧師的產物，可說具有叛逆心。米高顯然認爲他沉淪非神論派，或者更糟。布列南聆聽雙方的論點，不時搔搔脖子，接著清一清喉中痰，咳出響亮的冒泡聲——有時他耍寶有點耍過頭了——然後把痰吐在甲板上，仔細察看著，瑞佛斯暗罵自己的醫學素養，也不知不覺跟著看。「我以前認識一個傳教士，」布列南說，面帶一副平靜、閒散的惡意。「土話一個字也不懂，只顧著建立基地，願上帝拯救他。然後呢，他開始擔心了，因爲土著全聚集過來，他想叫這群混帳下跪，卻不知道怎麼講。所以他自己先示範下跪，問：『這字怎麼講？』你知道，我也知道嘛，」布列南說著轉向瑞佛斯，「土著下跪，爲的只有一件事。結果星期天到了，一大堆人過來做禮拜，他站起來——高舉雙手。」他望向米高神父，然後以出奇清澈的假聲男高音引吭：「我們打炮吧。」

輪機室門開著，傳來一陣狂笑，原來是船長站在門口，正拿著一條沾滿油漬的抹布擦手。其他人進底艙後，瑞佛斯對侯卡特說：「希望你儘量別捉弄米高。」

「爲什麼？他是個高傲的小——」

「他是個小嬰兒。」

同是嬰兒的侯卡特卻毫無慈悲心。

入夜之後，大夥兒圍坐長短腳的桌子旁，吃著晚餐，誰也躲不了誰，手肘互頂，膝蓋互碰，皮座位糾纏著燠熱的肌膚，偷偷搔屁股的動作不時進行中，不太遮掩的搔屁股動作也常見。船長坐下來一同用餐，但他的話不多，寧可默默陪笑。他從事這行業，儼然成爲彆扭社交舉止的鑑賞家。

布列南意識到瑞佛斯與他合得來，對著瑞佛斯暢談個人事跡，有可能連祖宗八代也即將包括在內，一面猛灌威士忌，大吐著蛀牙口臭。他拿出一張相片給瑞佛斯看，裡面有三個棕皮膚的裸嬰，在沙地上打滾成一團，後面站著一位少女，臉、頸、胸部覆滿刺青。「她一定是痲瘋島的居民。」瑞佛斯說。

布列南拿回相片凝視著。「對，沒錯。母狗。」

他似乎欲言又止。瑞佛斯趕緊說：「你去過新赫布里底群島，我怎麼不曉得？」

「從那裡開始。」

他以綁架奴隸起家，與許多老一代的貿易商相同，專門誘拐土著去昆士蘭農場做苦工。他不諱言自己用的詭計：先跟他們交朋友，邀請他們上船一遊，把他們灌醉，要宰要剮他們隨你便。土著酒醒時，船早已出海，只能望洋興嘆。我嘛，以前常在甲板上追得女孩到處跑。爲什麼不可以？反正她們被送去農場，屁股全會被操到爆。他上半身倚在桌面，想找一個人來震撼。「你知道嗎，」他繼續說，鎖定米高神父，但從侯卡特的表情來看，鎖定侯卡特或許是更不經大腦的選擇。「在雪梨，花個四十英鎊，就能買到一個女人，而且是白種的喔。」

「四十英鎊嗎?有點太貴吧。」侯卡特說。

「買斷，老弟。媽的，我指的不是按次計費。」

「那你怎麼不買?」

「不要，」布列南落寞地說，晃著杯中威士忌。「她們有點年資。」他轉向瑞佛斯。「蜜月才過一半，你尿尿時，會覺得豪豬從尿道倒退出來。我指的是什麼，他一定曉得。」他邊說邊朝瑞佛斯豎拇指。

「我們都知道你指的是什麼。」侯卡特說。

船長靠過來，笑容像極了老處女。「要不要打打牌?」

話題到此為止，接下來只聽得見頭上的酒精燈滋滋響，以及撲克牌拍擊桌面的嘩啦聲響。瑞佛斯看出了興趣。他旁觀到侯卡特緩緩理解到，賭資若出現縮水的情形，米高神父會不惜作弊，布列南不會。

隔天早晨，美拉尼西亞之旅出現了一件小小的成功：以水桶洗澡時，米高神父習慣蹲著洗，今天卻效法其他人剝個赤條條，雪白如馬蹄蓮的胴體再加上雄偉得不像話的雄蕊，與布列南相比之下幾乎令人心驚。

這天早晨，大家靠在一塊乘涼，流著汗，話題流轉，言談尚屬和諧，後來海平線露出一點藍綠色，大家才解散。

到了傍晚，輪船停泊在愛迪斯敦島邊一處腐朽的平臺，大夥兒連滾帶爬上岸，以監督卸貨的過程。在前幾座設有傳教站的小島上，土著一見輪船靠岸，會划著獨木舟前來迎接，瑞佛斯會見到一張張褐色的臉孔、白眼球、閃亮的微笑，岸上的土著則聚集在碼頭，準備將行李運至傳教站，以換來幾支菸草棍，甚至幾句基督徒的善意祈禱也行，總之進港後的畫面愉快寫意，只要別去注意教會墓園即可。墓園裡豎著一列又一列的十字架，全是壯年早逝的男男女女，死因是英國嬰兒常見的病魔：百日咳、痲疹、白喉、天花、猩紅熱，在本島全屬絕症。而傳教船載著他們逐島而居，一站接一站訪問，不知悔改，年復一年。

然而，船進愛迪斯敦之後，瑞佛斯卻不見前來迎接的土著。一個人影也沒有。瑞佛斯與侯卡特在岸上等，看著輪船出海，在波光粼粼的海面上縮小成一點，兩人才摸摸鼻子，合力拖著帳篷與足夠果腹過夜的糧食，來到距離海灘大約一百碼之上的小空地，向下可瞭望納羅渥（Narovo）灣。林間空隙隱約可見幾棟茅屋構成的村落，村名也是納羅渥。

「會不會太靠近村子了？」侯卡特問。

「距離太遠也不行。隔太遠，會嚇到村民。別忘了，邪惡的巫婆通常住在森林裡。」

「你認爲他們會怎麼辦？」

瑞佛斯聳聳肩。「他們遲早會過來。」

架好帳篷時，熱帶的黑夜迅速籠罩下來。日落之後，小島在寂靜中呼吸片刻；樹叢傳來不同種類的蟲鳴，不同種類的鳥兒啼聲。帳篷周圍透著光，瑞佛斯強烈意識到這一小圈地盤多麼勢孤力單。他持續凝望樹林，自認看見樹幹之間有黑影竄動，卻遲遲沒有人影現身。

晚餐是罐頭肉加味道像蕪菁的鳳梨，侯卡特吃完後說他想躺下休息，一副精力耗盡的模樣，瑞佛斯懷疑他可能輕度發燒。侯卡特裹在蚊帳裡，與瑞佛斯聊天一陣子，隨後熄滅手電筒，翻身睡覺。

瑞佛斯坐在緊鄰帳篷的桌子前修油燈，因爲油燈的煙冒得太兇。他隻身坐在空地裡，周遭是一團薄翼亂舞的風暴，因爲樹叢裡的蛾傾巢而出，直撲燈火，偶爾有一隻成功鑽進油燈，瞬間「滋」的一聲，火光閃一閃，煙冒得更旺。瑞佛斯抖出油燈裡的焦屍，再從頭修起。修理油燈竟然給人一種緊張兮兮的感受。修燈時由於靠燈火太近，視覺幾乎喪失，即使抬頭也幾乎看不見東西。他能意識到周遭密麻麻的黑暗，不像是透過感官察覺到的黑暗，而是心眼感應到的黑暗。他一度以爲聽見村裡傳來笛聲，停止動作，嗅一嗅手指上的燈油味，以手背抹下巴，然後臀部向後挪，坐著休息，視網膜隱隱作痛，彷彿被驗光師拿手電筒照過。他摘下眼鏡，以襯衫擦拭鏡片再戴上，這時看見一個人影從樹林走出來，站在空地的邊緣。這人是男性，甫入中年，頭髮沾著白石灰，眼眶、臉頰、頷骨也有，令瑞佛斯乍看之下以爲看見骷髗頭，瞧見白眼珠的反光，才知是活人。對方走過來之際，瑞佛斯坐著不敢動。這人單獨來，或者看似單獨來。瑞佛斯指向另一張椅子，以爲對方可能會拒坐，但他坐下了，頭微微偏一下，露出笑容。

瑞佛斯指一指自己，報上自己的名字。

一隻褐色的瘦手舉向貝殼項鍊。「恩吉魯。」

兩人面對面看著，瑞佛斯認爲應該招待來人，但伸手拿得到的只有吃剩的鳳梨，離開座位進帳篷的話，又恐怕破壞相遇的場面。

恩吉魯的身體畸形。若非脊椎彎曲，他必定是長人——以美拉尼西亞的身高而言——舉止也帶有明顯的權威。除了貝殼項鍊之外，他也戴耳環、臂環、手環，原料全是貝殼。不知爲何，這些首飾令人一看便知是貴重物品。他因爲常戴沉重的貝殼耳環，耳垂拖得很長，他一有動作，耳垂幾乎及肩。他的眼睛値得一提：眼皮下垂、目光懾人、聰穎、精明。有警惕心。

兩人繼續對望著，不願開始動用共通的洋涇濱資源，或許是明瞭到，即使在見面的最初時刻，洋涇濱這種溝通工具的缺失太多了，無法傳達兩人想說的意思。

忽然，恩吉魯指向油燈。「懷掉。」

瑞佛斯訝異到大笑出聲。「不對，不是懷掉。我補強它。」

恩吉魯是酋長仁波的長子。仁波在島上主掌最重要的幾個教派。由於恩吉魯畸形，在泛舟、捕魚、建築、戰爭方面，都不是其他年輕人的對手。爲彌補缺憾，他在思想與學習方面潛心加強，尤其專注在醫病術上。憑他的能力，在任何社會都有出人頭地的一天。在愛迪斯敦島上，他的威力多寡，端賴他能掌控多少神靈。無論是本地語言或洋涇濱，島民都分不清「知識」與「力量」的差別。「恩吉魯認識馬帖阿納」，意指恩吉魯有能力醫治馬帖阿納導致的種種疾病。瑞佛斯初抵愛迪斯敦島幾天，就有人告訴他說，恩吉魯「認識」阿委。瑞佛斯渾然不知此話的重要性，所以轉述給恩吉魯聽：「昆達夷帖他說你認識阿委。」

恩吉魯哼一聲表示嘲弄。「昆達夷帖他虎說八道。」

恩吉魯在傳譯功力方面，無人能出其右，而且在他有心時，他也是最可靠的受訪者，能明辨「知道」與「臆測」的差異，明白「證據」與「假設」有何不同。但他通常不願分享資訊。若說知識即力量，恩吉魯大手穩穩握住他的知識，而實情確是如此。起初，恩吉魯僅肯被動翻譯別人的說法。他最常擔任瑞佛斯與睿南貝西之間的口譯。

睿南貝西是島上最年長的男人，也是最活躍的一個，生龍活虎的程度僅次於恩吉魯。島上年輕人普遍有冷淡與憂鬱的傾向，他卻似乎免疫，或許因爲他沉浸在往日的光輝裡吧。他像普天下的高齡人，對昨天發生的事印象朦朧，年輕時的得意事跡卻鮮明如昨。他從前是獵首級高手，勇猛彪炳，贏得少有的雙妻特權。他對島民的族譜如數家珍，瑞佛斯找上他的主要目的在此。然而，一次又一次，他對瑞佛斯的詢問欲言又止，瑞佛斯起初不明白原因。

未婚年輕人之間的性交非常自由（free），但用「free」這單字或許不恰當，因爲每次性交之前，男方必須先支付貝幣給女方家長。結婚之後，夫妻必須嚴守忠貞之情，表達方式之一是絕口不提過去的男女朋友。

在族譜上，睿南貝西這一代所有女人的名字一片空白。瑞佛斯看著面前整排的族譜卡，轉向恩吉魯。「這人跟所有女人打炮？」

恩吉魯眼露好笑的晶光：「對。」

瑞佛斯扔下筆。牙齒掉光光的睿南貝西奸笑著，企圖表示謙虛卻敗得一塌塗地。瑞佛斯哈哈笑起來，一會兒之後，恩吉魯也跟著笑，一種異樣的親屬感跨越了文化鴻溝。

游絲般的哭聲來自恩吉魯捧著的嬰兒。恩吉魯一手捧頭，另一手托著小臀部，苦悶的黑眼珠肉身在兩手之間扭動。

女娃名叫奎妮，母親過世了。更不幸的是，母親是難產而死，在島民的觀念裡，難產母親死後變成惡靈，極可能試圖帶著親骨肉歸陰。母親的遺體已被海葬，投海之前在雙乳之間綁上一團破布，讓亡魂誤以爲抱著女嬰一起走。可惜的是，奎妮遲遲長不大，大家認爲是亡母在搞鬼。

女嬰確實是長不大，大腿皮膚鬆垮垮的。瑞佛斯向圍站一圈的親人望一眼，看見女嬰祖母皺皺的乳房，看見九歲姊姊的平胸，看見生父發達的胸肌。瑞佛斯問女嬰吃什麼。回答是，蕃薯泥加唾液。小手胡亂抓著空氣，彷彿想從中擰出生命力。

恩吉魯握著葉子，在雙腿之間反覆傳幾遍，然後站直身子，把葉子固定在山形牆的椽上，避邪符在陣風中顫抖。「下來，走開，妳這隻鬼，她的母親；不要侵擾這孩子，讓她活下去。」

「她活得下去嗎？」瑞佛斯問。

瑞佛斯自有主見，但他想聽聽恩吉魯的說法。恩吉魯攤一攤雙手。

回納羅渥村途中，瑞佛斯問他，難產而死的女人爲何會化鬼？畢竟，難產並非罕見的死因，因爲島民的習俗是讓產婦獨白分娩，不請產婆幫忙。瑞佛斯已知這種鬼是無名氏，族譜只註明爲惡靈。起初，有人隨口告訴他，某某人娶的是「一隻惡靈」，他聽了大爲震驚。

恩吉魯解釋，這種女鬼通稱「托馬帖．帕．納．薩沃」，意思是「幽禁屋鬼」，人人害怕，因爲她們的目的是盡可能讓其他產婦也難產而死。

有一隻女鬼最令人聞風喪膽，名叫安姬．馬帖，威力比任何一隻幽禁屋鬼強大，復仇心也更重。有人曾帶瑞佛斯去參觀安姬．馬帖之井，原本是一座活泉，現在是個地洞，塞滿了椰子殼。儘管如此，他意識到恩吉魯有難言之隱。「她到底會搞什麼鬼？」瑞佛斯想知道。既然幽禁屋鬼專挑女人下手，爲何連男人也明顯怕她？瑞佛斯愈想愈糊塗。

恩吉魯不情願地回答，她會躲起來，伺機對男人不利，尤其是在帕．恩加列海灘睡著的男人。「可是，她會搞什麼鬼呢？」一陣笑意在恩吉魯的跟班之間傳開來。女鬼令人膽寒，竟能引發這番反應，瑞佛斯覺得詭異。後來他猜到了。安姬．馬帖逮到沉睡的男人時，會逼男人與他行房。「之後他是安好的人嗎？」瑞佛斯以洋涇濱英語問。

恩吉魯的回答似乎是否定的。受害的男人日後的主訴症狀一長串，其中一大症狀是陰莖逐漸消失。瑞佛斯想瞭解這種症狀的心理效應，但他幾乎問不出解答，因爲內省的詞彙根本不存在。

等到他們抵達納羅渥村時，太陽已西垂。瑞佛斯往海灘走，鑽進樹叢之間的窄徑，最後枝葉稀疏，出現細細的白沙。侯卡特在海泳，離岸邊相當遠，頭是一顆烏亮的球。他看見瑞佛斯，揮手叫嚷著。

瑞佛斯緩緩走進海水，低頭看，見到膝蓋與腳丫因光線折射而脫節，覺得好玩。一群小黑魚如常圍過來，竄來竄去，帶領他進入深水區——總是令人徹底神往的一刻。在他背後，靛色的岩影悄悄延伸至白沙灘。

游完泳，兩人躺在淺灘上，聊著今天的所見所聞。兩人事先概略協調過研究範疇，死亡、喪葬、髑髏屋歸侯卡特，鬼魂、性事、婚姻、親屬歸瑞佛斯，但兩人已形成的共識是，再怎麼分工也不太有道理，因爲兩人獲得的知識經常踩到對方的地盤。

侯卡特起了逗趣的心情。「爲什麼死亡分給我，你卻分到性？」他想知道。「鬼和性不能湊在一起。鬼和死亡反倒是……」

「好吧，鬼分給你。」

「不要……」侯卡特才開口又哈哈笑。

瑞佛斯心想，反正他的分法沒道理。在愛迪斯敦島上，幽靈與性確實可一概而論，至少對於海灘睡男而言是如此。他們一覺驚醒，發現自己被夾在安姬．馬帖餓狼似的雙腿之間，的確是生不如死。

兩人靜靜躺著，幾乎懶得開口，斜影拖得愈來愈長，太陽開始直墜地平線。愛迪斯敦島的夜幕來得突然，彷彿海灣裡有某種強勢的黑魔爬出水面，吞噬掉太陽。海水變涼了，他們最後被迫上岸，拎起衣物奔跑、歡笑，回到帳篷裡。

姆布寇快死了，頂多還可殘喘幾小時，病魔是惡靈契塔。

恩吉魯解釋，契塔能導致男人逐日消瘦，最後「小到全身骨頭沒肉」。的確，姆布寇是瘦到不能再瘦了，看起來比較像肢體的素描，不像眞人，不同的是被撐平的胸皮下仍有堅持不懈的心跳。他躺在睡覺用的木造平臺上，但目前沒有其他人睡在這間茅屋裡。恩吉魯說，其他人在害怕。屋外艷陽高照，人來人往，偶爾有個鄰居探頭進來，看看他是否仍活著。「很快了。」圍坐的人會搖頭說，語氣漠不關心。有些人見到他的苦難，顯然有看熱鬧的意思，或者趕緊走避。瑞佛斯反覆聽見的單字是「拉其安納」。意思是瘦。

在島民文化的架構中，恩吉魯是個充滿愛心的人（瑞佛斯心想，我們這群人，誰也無法自稱比他更有愛心）。即使是恩吉魯也似乎覺得，姆布寇已被簡化成一個有待解決的麻煩。嚴格說來，恩吉魯的這種態度不算漠不關心，也不算輕蔑。姆布寇瘦成一堆幾乎無呼吸的皮包骨，恩吉魯站在一邊，望著對面的瑞佛斯說：「馬帖。」

查遍所有字典，「馬帖」的解釋全是「死」。

「不馬帖。」瑞佛斯說著深呼吸，指向姆布寇的胸部。

就在此時此地，人在垂死病患另一邊的恩吉魯爲他解惑，有點像他在巴茲醫院求學的情形。馬帖的意思不是死，指的是「一死反而比較恰當」的情況。姆布寇是馬帖，因爲他病況危急。反觀身體硬朗得令人作嘔的睿南貝西，見女孩仍一副色瞇瞇的模樣，也屬於馬帖，因爲像他這樣歲數一大把，如果還沒死，也早該死了。「死亡」的土語其實是「馬帖恩達普」，洋涇濱英語是「死完成」。在島民觀念裡，死亡是「薩戈納」離開的一刻。恩吉魯示範著，深吸一口氣，拍拍腹部橫隔膜的地方，表示「他停止挺肚皮」。瑞佛斯問：「薩戈納和靈魂是同樣的東西嗎？」恩吉魯怒答，「當然不是。」恩吉魯鼻孔擴張，表示不耐煩。天啊，又回到巴茲醫院的課堂了。哪天看我們把你介紹給不疑有他的民衆，願天保祐他們。恩吉魯繼續解說，和所有被契塔降服的島民一樣，姆布寇的麻煩在於他死不了。瑞佛斯想頂嘴，把話含在嘴裡：明明快死了，死不了才怪。恩吉魯接著說，契塔能「讓他變小」，卻無法置他於死地。恩吉魯撫摸著姆布寇說：「契塔包息亞。」瑞佛斯提示：「契塔愛他？」不對，恩吉魯應該懂得「愛」字。契塔是在照顧他。

避邪符掛在茅屋上，隨風顫抖，恩吉魯在山形牆上掛麻蘭嘉里葉，然後吟唱著驅魔祈禱詞。恩吉魯的影子在姆布寇的臉上掃過來掃過去。瑞佛斯坐得腿抽筋，一度想站起來，卻被兩旁的人拉住。他們說，千萬不能從麻蘭嘉里葉下面走過去，否則也會像姆布寇一樣消瘦至死。

侯卡特進入茅屋，緊貼牆壁走，遠遠避開麻蘭嘉里葉，最後來到瑞佛斯身邊。趁所有視線集中在恩吉魯身上，瑞佛斯連忙為姆布寇把脈。瑞佛斯搖搖頭。「快了。」

茅屋內到處是棉布與樹皮布，沾著黏液，隨眼可見姆布寇流出的大片大片血跡。這時候，幾團濃痰升至嘴裡，姆布寇無力吐痰，瑞佛斯找來一塊乾淨的布，沾自己的唾液，為垂死病人清嘴。姆布寇伸舌舔舔乾唇，然後喉嚨冒出嘎聲，肋骨腔隆起、擴張，斷氣。女人之一嗚咽片刻，漸漸平息，隨後一手捂嘴，彷彿覺得丟臉。

瑞佛斯不由自主伸手，想為死者合上眼皮，卻及時打住。姆布寇的遺體被綁成坐姿，以棉布條將脖子與膝蓋纏在一根棒子上，由兩個壯漢抬出戶外。瑞佛斯與侯卡特跟著這小群島民踏上步道，走向海邊。

遺體仍維持坐姿，被立在獨木舟的船尾，生前專屬的盾與斧放置在遺體旁，由人快速划船帶出海。瑞佛斯在海邊觀望，直到獨木舟在閃亮的海灣縮成黑點，他才回茅屋，收拾髒布，埋在村外，以策安全。他一面以乾土覆蓋髒布，一面強烈渴望以滾水洗手，想徹底清潔手肘以下的部位。回帳篷再說吧。他暫時只能在長褲後面反覆猛擦手，聊解洗手的衝動。

回到紮營的海邊，他看見心懷不滿的侯卡特在水濱徘徊。他們原本指望，姆布寇一死，他們可趁機觀察祭祀骷髏頭的行為。無奈……

「他們不保留骷髗頭。」侯卡特說。

他們瞭望獨木舟，看見槳手合力把屍體隨便推進海裡。遺體落水時，幾乎不見水花便下沉。

瑞佛斯搖頭。「恐怕要等到有人壽終正寢了。」

第九章

威耶特高談闊論著他的妓女院經驗，講到裡面有個妓女肥到不成人形，你如果有辦法操她，就能要求退費。

火車窗戶的玻璃冰冷，普萊爾把臉頰貼上去，斜眼望著頰骨與一眼的雙重影子，再往深處望去，見到陰暗的車廂坐著透明的乘客，笑著比手畫腳，在雨滴打亂的玻璃上形成浮動的人影。

趣事講到高潮，引來哄堂大笑。格瑞葛婚姻美滿，育有一幼女，面帶微笑，態度容忍。哈磊特渾身不自在，也跟著笑。有個小男生笑聲太嘹亮了，自曝處男之身，大家替他難爲情，唯獨他自己不知。毫不掩飾嫌惡的人只有歐文。他把這種女人稱爲「商女」，向來瞧不起她們。

火車搭了三小時，大家擠在木條椅上，腋窩、下體、腳丫的汗臭難消。某個半醉的白癡逆風撒尿，車廂因此彌漫著帶有煙味的尿騷。

五分鐘後，火車滾進幽暗的車站，唯一的燈火是幾盞靜悄悄的揮發油燈。

普萊爾走向載貨車廂。士兵睡在貨廂，火車進站後那兒騷動起來。普萊爾握著手電筒照過去，幾張陌生的臉孔睡眼惺忪地看他。他以手攏住手電筒的燈光，因此眼前的士兵籠罩在血光之中——並非比喻的說法，而是眞有血光。這群人不是他的兵，也不屬於任何人，只是一群無名徵兵，由他負責押車轉運至終點前的下一站。

這幾節貨車廂停在月臺外面，車廂和地面有一大截落差。睡矇矇的士兵接連下車，軍靴踩著砂石，承受著暗夜風雨的打擊。集合之後，沿著火車車廂齊步走，半走半跌，踏上月臺，進入車站的空地。經過漫長的等候，幾個引路兵終於來了，他們披著像魚身的濕斗篷，朝天投射微光，以含糊急促的語氣指揮各單位至營區。

普萊爾看見自己帶下車的一群士兵在教堂玄關坐下，向他們道別，祝他們好運。在這種缺乏人情味的過程中，他們的臉轉向他，喜怒哀樂皆無。

接下來普萊爾自由了。他也感受得到自由。他跟隨引路兵穿越無燈的街道，走過堆著沙包、活像巫婆奶頭的大教堂，沿運河走著，水面有月娘陪伴。月亮像個癡呆的乾癟老太婆。

夜晚，不講話的引路兵，努力不要在破碎的人行道上滑跤，這些情形磨利了他的感官。低垂的金鏈花樹枝灑落冷雨，滴進他的眼睛，一陣強烈的喜悅襲來，令他吃驚。這份喜悅或許與民房殘破的景象不無關聯。承平時期，這些資產階級民房必定穩固牢靠，屋主是力爭上游的男人，是原本確信萬象不動如山的男人，如今，這些人哪裡去了？這條路上的房子不是半毀，就是全毀。全毀的房子很醒目，黑色殘垣在皚皚月光鋪陳的海灣裡顯露形影。

「到了，長官。」

院子的門掛在鉸鏈上。玫瑰包圍著破敗的涼亭。一種氣味濃郁的蓬鬆白花久無修剪，彼此交纏生長，相互扶持。另一邊的步道與臺地雜草遍布。或碎或裂的玻璃窗裡面懶懶垂掛著蕾絲窗簾，唯一完好的窗戶在二樓，短暫地挽留了明月一會兒。

引路兵走在普萊爾前面。門上無鎖，玄關地面鋪著黑白瓷磚——奎葛洛卡軍醫院留下的鮮明記憶陡生——接著，樓梯上面閃現燈火，哈磊特出現了，握著蠟燭。「上來吧。小心這座樓梯。」

哈磊特已取出睡袋，把個人物品細心陳列在角落。這間從前想必是主臥房。哈磊特未婚妻的相片立在椅子上。

「坡茨和歐文在樓上。」

普萊爾走向窗口，望向對面的民房。蕾絲窗簾沾滿沙塵，雨淋後風乾變硬。「這裡還不錯，對吧？」普萊爾忽然說，轉身離開窗口。

兩人對著彼此齜牙笑。

「浴室在對面。」哈磊特指著對面說，像個悉心呵護的主人。

「你是說，浴室能用嗎？」

「呃，水桶還能用。」

普萊爾陡然在地板坐下，打哈欠。他累到顧不了置身何地。兩人點菸，分食一條巧克力棒，普萊爾靠牆坐，哈磊特盤腿坐在睡袋上，兩人東看西看，像瞪大眼睛的小孩，極力適應陌生的環境。新鮮感會消失的，普萊爾心想。他點了一支蠟燭，走向樓梯對面，替自己找一間房間。明天早上，一切會顯得正常吧。

可惜不然。普萊爾早早醒來，懶洋洋地躺著，看著葉影落在牆上，旭日把白牆照成金色。他翻身，想繼續睡，這時發現有個黑影掠過房間。他等著，見到一隻燕子騰空、繞圈，衝出窗戶，飛進炫目的空氣。

這天是第一天，早上他向外望著蔓雜成叢林的庭園，烈日高照，昆蟲嗡嗡響。原本是制式花床，如今刺莓糾纏成林，野生動物挖隧道鑽進鑽出。普萊爾雙手放在窗臺上，從參差不齊的玻璃邊緣謹慎向外看，看著歐文與坡茨從馬路對面的房子抬著一張桌子出來。他們停下來喘息時，普萊爾從樓上對他們喊，他們揮揮手。

他原以爲，戰爭已無法令他訝異，原以爲在索姆河之役的某地，訝異的能力消失了，再也找不到了。但接下來幾天驚異連連。

他們無事可做。他們不必對誰負責。這場戰爭忘記他們了。

這棟房子本身只有兩件家具，一件是橡木雕花收納櫃，體積龐大，不可能從門外搬進來，必定是在用餐室內拼造完成。另一件家具是兒童坐的彩繪搖搖馬，放在頂樓一間加裝鐵窗的房間裡。其他家具全是他們從別處搬來的。普萊爾進出受災戶，見到看得上眼的東西就帶走。這些民房在正午的酷熱裡顯得陰涼，冷靜地接受他。他把戰利品帶回來，仔細排列在自己的房間，有些擺進大家共用的用餐室。

每天晚上，他與哈磊特、歐文、坡茨點燃蠟燭，圍坐一桌。這張桌子是歐文的大發現。用餐室裡的窗戶高大，天花板飾條華麗，一盆盆玫瑰花，再加上葡萄美酒，營造出一種脆弱的文明氣息，一份災難將至之前的同舟共濟感。

接著，大家爲了戰爭的事相持不下，破壞氣氛。坡茨服役前是曼徹斯特大學理工生，反應快，言辭便給，凡事憤世嫉俗——這類人涉世未深，不太常碰到值得憤世嫉俗的事物，難怪有這種心態。酒氣將坡茨的臉染成酡紅，他高聲堅稱，這場戰爭只會替投機商人的財產錦上添花，打仗的目的是維護美索不達米亞油井的權益，無關比利時中立，無關小國權利之類的口號，完全無關。他說，如果哈磊特認爲打仗的目的在此，哈磊特就是個容易受騙的白癡。哈磊特出身軍人世家，家人斥資栽培他接受高等教育，盡可能壓低他獨立思考的能力。面對坡茨的攻訐，他倉皇一陣，然後迅速開始闡述他從小認爲是全民共識的信念。

普萊爾與歐文相視竊笑，但兩人或許也無法明言竊笑的意義何在。歐文玩弄著午後從庭園撿拾來的玫瑰花瓣。普萊爾發現，花瓣有粉紅、黃、白，獨缺紅玫瑰。

「你呢？有什麼意見？」坡茨問。他被普萊爾的緘默惹惱。

「我有什麼意見？我的意見是，你的說法基本上是一套陰謀論。而陰謀論的共通點是語氣很樂觀。你的說法大致是，對，打這場戰爭的原因有別於政府的說法，但是，打仗的原因一定有。打仗沒有造福應該得利的那群人，但確實有人因此得利。而我不信這種說法。我認為，實情其實比你的說法嚴重幾倍，因為再也找不到任何形式的理性辯證了。現在已經演變成一種自我永續的循環，沒有人從中得利，沒有人能控制情勢，沒有人懂得怎麼退場。」

哈磊特的視線在兩人之間遊走。「不對啦。你們——不對，不是你們——人們之所以灰心喪志，是因為他們付出的代價比預期來得大。不過，基本的事實不變。我們確實是為祖國的正當權益而戰。我們確實是為比利時中立而戰。我們確實是為法國自主權而戰。我們不在德國。侵略法國的是德軍。」他環視在座另外三人，以小男童的懇求語氣說：「這場仗是一場正義之戰。」

「你主張我們去殺大怪獸，」歐文緩緩說。「我卻認為，我們打仗是因為大家在黑夜裡迷失方位。」他對著大家的臉微笑，然後起立。「再開一瓶，如何？」

那天夜裡，普萊爾一人在房間，空中飄浮著熄燭的氣味，回想起那盆粉紅、金色、白色玫瑰花瓣，懶得回憶坡茨與哈磊特的論點。四人同守這幢空樓，感覺多麼奇怪，與這場戰爭的原意相差太遠，令他多麼想把這幅情景、聲響、氣味固定在腦海裡。他覺得有魔法護身，覺得安居繭中，任何能製造苦痛的事物都傷不到他，但在這種想法形成的當兒，曾遭砲擊的這間後臥房，天花板開始漏落石膏粉。這棟房子的傷口止不住血流，血水正悄悄滲漏。

每天早上，他進市區，逛大教堂前的攤販。攤販兜售的是「紀念品」。由於砲擊災區可撿的紀念品太多，攤販的生意並不興隆。普萊爾逛不到他想買的東西，反正他自己也收集了不少紀念品，在家裡擺了一架子，主要是第一次前進法國時帶回來的。在奎葛洛卡，他深埋著法國戰場最後幾週的事跡，瑞佛斯則百般刺探那段記憶，因此他經常想起家中的紀念品。我的天啊，紀念品。正當心思努力遺忘、即將欣然淨空的此刻。

在回住處的路上，他看見歐文與坡茨走在前面，因此加快腳步跟上。歐文在大教堂附近的廢墟撿到蕾絲綴飾的兒童白袈裟，拿來當圍巾使用，披在被曬黑的脖子上雪白突兀。坡茨抱著一個人形水罐，矢口拒絕承認這水罐難看。三人走著，脫離馬路，從後花園抄近路回家，進入一個外人臆測不到的世界，因此從馬路上看，這屋子的外表相對正常。

綠色步道彷如迷宮，從一座庭園通往另一座庭園，他們從一條步道踏上另一條步道，跨過傾倒的牆垣，鑽過破碎的圍籬，繞過長滿刺莓的砲彈坑，撥開雜草擋路的步道，有些花卉開花結籽，繁衍過密，長得太茂盛的玫瑰不時鉤住袖子，扯得他們止步。蝸牛在軍靴下粉身碎骨，蕁麻刺到手，沫蟬的泡泡沾上裸露的脖子，但祕密步道繼續向前蜿蜒。在這一類的廢墟危樓，駐紮著數以千百計的軍人，為了暢行無阻，突破了不知多少牆壁、圍牆，強行鑽越所有樹籬。這場戰爭在泥濘戰場上打了再打，弔詭地賦予他們動物般的自由，讓他們在各個領土之間來去自如，如入無人之境。也讓他們具備動物般的警覺——佳處庭園入口被接骨木的樹枝擋住，歐文正要伸手撥開之際，聽見一絲聲響，舉起一手。

哈磊特正在庭園裡脫衣。日光穿透枝葉，在他身上形成斑點，增添他不堪一擊的假象，多了一抹偏綠的病容，但他其實與大家同樣健壯，皮膚同樣曬得黝黑。他們觀望著，遲遲不向哈磊特打招呼，看著他脫掉內褲，不合時宜地，站在池塘邊緣，細瘦、蒼白，制服裡的肌膚白皙醒目，鎖骨突出，下面是偏藍的陰影。金魚池裡長滿太多植物，開著白蓮花，金色昆蟲在花中打滾，哈磊特即將躺進池塘，腳趾勾住青苔覆蓋的池邊，輕手輕腳地下水，睪丸入水時一聲驚呼。

三人跨越長草走向他，站在池邊看。哈磊特的雙腿在水裡顯得浮腫，銀色氣泡困在陰毛裡，陽具癱在大腿上，猶如趴在海岩上的海豹。哈磊特抬頭，慵懶地看著他們，手指撩撥著陰毛，釋放氣泡。

「自得其樂嗎？」普萊爾問，下巴指向他的手。

哈磊特笑一笑，以另一隻手遮掩日光，沒有其他動作。

「你最好當心一點，」歐文說，語氣緊繃。「池裡的魚餓慘了吧。」

餓慘的不只是池魚吧，普萊爾心想。

「誰想喝葡萄酒？」坡茨邊進屋子邊問。

大家在臺地上喝酒，哈磊特躺在池塘裡，泡到太冷了才上岸。

「你們知道嗎，上級可能會把我們留在這裡，」歐文眯眼望日說。

「住嘴！」坡茨罵。

大家觸摸木頭，交叉手指，找著幸運符——全是護身的小事物，以慰藉這幾個無法主宰個人命運的人。普萊爾暗想，幸運符沒用啦。某處有個時鐘已開始滴答響，雖然滴答聲超出人類聽覺範圍之外，這四人卻全聽得見。

一九一八年九月十一日

我在這裡，對歐文應該是有害無益。而他在這裡，對我而言是絕對沒有好處。我倆同樣在表演走鋼索，彼此最不樂見的是有人旁觀，而旁觀者明瞭墜地多麼恐怖。

在奎葛洛卡，我和歐文相互迴避碰面。醫院儘管超收病人，避不見面其實很容易，因爲走廊如迷宮，到處是轉彎，到處是替代途徑，不想或沒必要遇見的人，絕對不會迎面撞見，除非是在瑞佛斯或布拉克的診療室裡，偶爾會撞見自己。

這星期發生兩件事。我們四人結伴進市區，在路上看見傷兵被緊急送醫，有些人的傷勢相當重。哈磊特和坡茨盯著看，想必正在心頭告訴自己，過幾天或幾星期，同樣的事可能發生在自己身上。看著綳帶，儘量想像綳帶下面的模樣。儘量不去想像。恐懼：理性、均衡、適度的恐懼。我瞄歐文一眼，見他漠不關心。我也是。我當然不是嫌他缺乏惻隱之心。（只不過，包袱太沉重時，人會拋棄什麼樣的東西，想想也令人驚訝。）

另一件事發生在昨天晚餐時。哈磊特向大教堂廣場的攤販買到蒼蠅紙，興高采烈。從我們住進來的那天起，天天飽受大螞蜂的侵擾。歐文認爲是大黃蜂。另外也有蒼蠅，一種嗡嗡叫的肥蒼蠅，醉醺醺的，氣呼呼的，垂死的青蠅。哈磊特的蒼蠅紙解決掉所有問題。蒼蠅紙掛在我們頭上，嗡嗡響，一會兒向左旋轉，一會兒向右，被黏在上面的昆蟲不死也半條命。索姆河戰役的夏日之聲。

我一直忍，最後忍無可忍了，爬上桌，摘下蒼蠅紙，直接拿到庭園盡頭，盡力拋得遠遠的，可惜心有餘而力不足，蒼蠅紙在空中劃了一道平弧形，飄落地上。哈磊特對我的舉動相當惱火，他當然是全然困惑不解。

「等你們全鬧肚子痛，可別怪我。」哈磊特說。

歐文開始笑，我也跟進，兩人哈哈笑得無法停止。哈磊特和坡茨面面相覷，像兩條尷尬的狗一樣咧嘴笑，顯然以爲我們的腦袋斷了一條筋。問題是，我和歐文都不確定他們的見解是對是錯。當我注意到獨缺紅玫瑰時，我望向歐文，見他發現我也注意到同樣的現象。那是沒有用的。

我的男僕隆士達夫

我是在刺刀訓練時挑上他的。他衝刺時的吶喊令人血液凝固，對著假人猛戳、扭刀、抽刀，跑向下一個假人再刺。我邊看邊想，天啊，教科書的典範。其實差得遠——我事後得知，他其實是在重現阿讓庫爾戰役攻城成功的史實。（譯註：Agincourt，十五世紀的英法百年戰爭。）

我找他聊天。他當然明白聊天的目的何在，而他也想爭取這份工作。軍僕的日子不賴，如果非從軍不可的話。他告訴我，他戰前擔任過紳僕，我一聽，當下決定用他。後來，我們在等前往亞眠的火車，他向我坦白。他戰前的職業是演戲，從未做過紳僕的職業，勉強沾得上邊的是在布拉福市的亞罕布拉劇院飾演過男僕一角。他急忙指出，這角色比名稱吃重，因爲在他演出的這個版本裡，動手的人是男僕。由於劇情的這個轉折跳脫常軌，布拉福居民看了不大高興，公演十七天之後不得不落幕。

也許他當時也看穿我的眞面目了。被他看穿，其實更令我覺得他難以抗拒。他是冒牌紳僕，而我自己也是冒牌紳士。

他的體格平坦如熨衣板。舉止倒滿有趣的。在我認識的人當中，唯有他能用腰臀開門。長相平庸無奇，缺乏特徵，即使被貼上懸賞海報，也不愁被民眾舉報。但這種五官也給人一種異樣的感覺，好像他能扮誰像誰，如果他想扮演的角色長相出眾，他也能變美。而且野心勃勃。莎士比亞全集倒背如流。一個懷抱愛國憧憬的守舊怪人——這種人滿街跑，我為何這樣描述他，我也不曉得原因。例如哈磊特也是。他和別人不同的是，他背得出：「你我少數人，你我這群幸福的少數，攜手共進的一隊弟兄。」前幾天，我準備就寢時，他就這樣背出來，也不覺得尷尬。我挖苦說，戰爭打到現在的階段，引用我這句來形容比較貼切：「吾人踏血遠道至此，不應涉血再前進……」他一聽，從房間另一邊衝過來，動作相當驚人。一巴掌打在我嘴上，兩人互瞪對方，呆住了，不知如何是好，他的臉白如粉筆灰，我懷疑自己的臉色也好不到哪裡，兩人各自拚命回想著，掌摑軍官該當何罪。八成是死刑吧。

事發之後，主僕變成啞巴，各自退回官階的屏障之後，他能自保，我也能自保，只可惜撤退得不夠快。如同阿讓庫爾戰役的法國陣線，屏障已被徹底攻破了。

九月十三日，星期五（媽的，不予置評）

我們不準備去本營，營隊會自己過來和我們會合。我猜，所以我們才在這裡閒度跳脫時光的怪假期。假期在今天結束了。坐車四處視察紮營情形。

天氣也變了，其他的變化因此顯得比較容易忍受。風和雨，低垂的灰雲。

九月十四日，星期六

看著曼徹斯特軍團行軍過來，雨勢不歇，斗篷濕淋淋。一張張破碎的臉，一雙雙充血的眼睛。最近很難熬。認得一兩張臉，是我去年認識的。去年之前呢？不認識。損失多慘重，沒人提。坐在成捆乾草堆上，剝掉血腳上的襪子，大家埋怨的是沒菸可抽，應急的方式是撿紙屑、撕信封，什麼紙都行，拿來捲草當菸抽。當然沒菸草可用，草是路旁摘來的野草，出太陽時綁在背包上曬乾。我寫信給媽和莎拉，想到誰就寫給誰，向他們討忍冬菸。

九月十五日，星期日

和營部會師了。副官是個面帶愁容的好漢子，他建議我接營部毒氣官一職（深藏不露的他由此自曝幽默感）。號稱十傷馬紹爾的指揮官也來了，闊步來回巡視，大聲講話。他的皮膚、舉止、表情、姿態、語調，全顯得大膽、自由、粗俗。也許肆無忌憚吧？我不知道。反正他也不在乎。大家懂得享受人生吧。先天是戰士，後天又接受戰士訓練。大膽、狡猾、不擇手段、果斷、決策明快、勇敢得令人稱奇——如果像他那樣才算人，那我根本不算。他成年之後的每一天都受戰鬥吸引——無法想像他過其他形式的生活。

昨晚，我們在亞眠的最後一夜，風雨交加，片狀閃電一陣接著一陣，強風對著房子又衝又拉。我剛上床，就聽見樓上傳來奇怪的隆隆聲。哈磊特來到我房間的門口，臉白如紙，兩眼瞪著直看。屋子內外只有星光，破窗擋不住風，蠟燭一直被吹熄。我們從廚房拎來一盞油燈。哈磊特說：「是槍聲嗎？」我說：「鬼話，當然不是，聲音在樓上。」

通往樓上與育嬰室的樓梯很窄。我們走到育嬰室門口停下，彼此對看著。油燈從下照亮哈磊特的臉，在眼睛下面照出兩團黑，宛如他多長了一道眼皮。我推開門，一股冷風從破窗吹到我臉上。我起初只看見房間最遠處有動靜，看清楚之後笑出來，原來是搖搖馬讓人誤會了。風勢夠強勁，把搖搖馬颳得晃前晃後，除此之外我想不出其他原因。搖搖馬的弧形搖桿磨壓著地板。

發現這種情景，應該覺得掃興才對，起初我也認爲掃興。我和哈磊特把它搬去風吹不動的地方，遠離窗口，然後下樓，仍呵呵笑個沒完。坡茨從房間探頭出來，我們告訴他，沒啥好擔心的，趕快回去睡吧。但我進自己的房間後，熄滅油燈，躺著睡不著，那陣隆隆聲整夜在我的腦海裡持續。

第十章

不需等太久，瑞佛斯與侯卡特等到了他們要的壽終正寢。

恩戈亞是個精力充沛的壯漢，在島上的權勢僅次於仁波。在旁人的眼裡，他值得活下去的理由多不勝數，但他卻連反擊病魔的意思也沒有，這種現象在美拉尼西亞群島很常見。他躺在門廳裡，看著避邪符隨風打轉。瑞佛斯覺得，他把自己的生命當成蒲公英的棉絮種籽，任其棲息在攤開的掌心上。

恩戈亞的病情很嚴重，一度緊急到妻子依美雷與其他女子嗚咽起來，泣音綿長，帶有節奏，頓挫如音樂，但隨後恩戈亞微微振作起來，哭聲立刻停止。

瑞佛斯向他道再見，承諾明天再來，但他心知明天見不到面了。他走回帳篷。回帳篷時天色已黑，油燈從裡面投射帆布的綠光。侯卡特的巨影黑壓壓的，拖得很長，高至帳篷頂。洗好待乾的衣物沉甸甸地掛著，瑞佛斯推開，鑽進帳篷。

侯卡特盤腿坐在地上，叼著鉛筆，對著打字機敲筆記。「蚊蠓多，我不得不進來。」

「蚊蠓？」

「別計較名稱了。」

侯卡特不夠謹慎，疏忽了奎寧與蚊帳。瑞佛斯對著自己的床鋪躺下去，雙手抱著後腦，看著他打字。幾秒鐘後，侯卡特向上剝掉上衣，拿空白紙搧涼。一如往日，白天的燠熱被鎖在帳篷內，烘得兩人的身體猛冒汗。

「你瘦了，」瑞佛斯說，看著侯卡特肋骨之間的黑影。「『拉其安納』這詞適合形容你。」

「是啊，」侯卡特叼著鉛筆說，「只要你朋友恩吉魯別想讓我早日脫離苦海……」

「他是我的朋友？」

匆匆瞄一眼。「你自己知道他是。」

兩人工作了兩小時，吃一些寡婦塔汝爲他們做的烤蕃薯甜點，然後再工作，最後才熄滅油燈。約莫一小時之後，瑞佛斯聽見腳步聲接近帳篷。侯卡特睡著了，以手臂遮眼，臉頰與嘴被枕頭壓得變形。月光夠亮，足以將路人的身影投射在帳篷上。瑞佛斯看著影子悄悄劃過帳篷內部。過了一分鐘，又來了一個人，比剛才那人高。

是瑪里嗎？前一陣子，十三歲少女瑪里首度進月事屋，五天之後出來，家人已爲她做好了初夜的安排。一個名叫如倪的年輕人，年紀在十八歲上下，付給她的雙親兩只臂環，換得連續二十夜的占有權，並且決定——片面決定，女孩無權置喙——與兩名好友分享這份特權。

在島民眼中，如倪是個搗蛋鬼。幾天前，他與兩個最親近的朋友——想必是他邀請去分享瑪里的那兩位——爬上喀納里樹，摘未成熟的果實，猛砸倒楣的果園主人。瑞佛斯聯想起英國大學的花車遊行週。島上的老人聽了嘟噥一聲說，不然呢？島上的年輕人窩在家裡沒事做，像老太婆似的，不能依循傳統划獨木舟出海、燒殺村民、獵首級。

低語聲，相當接近帳篷。一陣驚哭聲，幾乎像小狗吠叫，接著是咕噥、哼唉、呻吟聲、一長串漸強的啜泣聲。

侯卡特醒來聆聽。「天啊，又來了。」

「噓。」

有些島民相信，女孩初夜絕非第一次，因為初經流血表示月神已上過閨床。男人否認他們相信這種傳說，堅稱他們只是以這種說法來安撫女孩——此舉至少暗示男人不是不懂憐香惜玉。瑞佛斯希望如此。她看起來好像兒童。

幾分鐘的細語，接著，吃力聲再起。十八歲多美好啊。又是一陣叫聲，這次絕對是男生，腳步聲退回來時路。

「一人出局，剩下兩人。」侯卡特說。

「你知道吧，他們一輩子被禁止再提對方的名字？」

無回應。瑞佛斯懷疑侯卡特該不會又睡著了，但他轉頭一看，瞧見蚊帳裡面的白眼光。又有腳步聲。又是人影攀爬著帳篷另一邊。聲響暫停片刻，低語聲，隨後喘息聲又開始。

瑞佛斯嘆氣。「睿南貝西說，酋長過世以後，以前的做法是傾村出去偷襲獵頭，隨後辦一場盛宴，所有女孩免費陪所有勇士，而且據說女孩不會不願意。她們還跑去海邊迎接。」

「獵頭具有催情作用？」

「有什麼不可能？」

「他們好像用不著這種春藥吧。」侯卡特說著，呻吟聲變得更響亮。

「不過，生不出小孩。」

閱讀島民的族譜令人黯然神傷。三、四代之前，一家五、六口是很平常的事，如今許多夫婦婚後無子。

最後一道人影來了，走了。瑞佛斯猜自己大概睡著了，因為轉眼間，灰色晨曦將蚊帳照得赤裸而邪惡，有如裹屍布。在洋涇濱中，黎明前的這一刻稱為「禽他高唱」，而公雞確也開始啼叫，先是斷續的咕咕聲，老是同一隻帶頭吵，瑞佛斯不知是那一隻。啼聲引來其他公雞齊鳴，一較高下，競爭激烈癲狂。但這天早晨另有一種新聲。起初，瑞佛斯躺著，睡眼眨了眨，聽不出所以然，後來才瞭解，是女人的哀哭聲，距離遙遠，聽來近乎笛音。他因此明瞭，恩戈亞死了。

抵達恩戈亞的門廳時，瑞佛斯與侯卡特發現遺體被綁成坐姿，背靠著柱子，一支堅固的棍子綁在背後，多少能維持頭頸直立，作用類似體外脊椎。恩戈亞已經清洗過，穿上最上等的衣物，臉與髮上的石灰剛塗好，成束的芮李葉——活人不許碰——綁在項鍊上。遺體旁邊坐著遺孀依美雷，她不像其他婦女，不哭不哀嚎，非常鎮定，非常莊重。

其他婦女搖晃著身體哀嚎之際，恩吉魯有條不紊地摧毀死人的遺物。斧頭例外，放在一旁。珍稀的臂環一枚接著一枚被搗碎。瑞佛斯蹲在恩吉魯旁邊，壓低嗓門，以免干擾到前來致哀的島民。他問，爲何非摧毀遺物不可？

「讓他去松投之後變不好。恩戈亞他照樣發臭，他腐敗，未久他去松投。」

哭號聲延續整天，有些人從島的另一邊過來向恩戈亞道別。傍晚時分，瑞佛斯心想，遺體該下葬了，不能再拖下去了吧。這時恩吉魯在椽上的避邪符旁，掛上一串檳榔，取下其中幾粒，拿給大家吃。他等到最後的哭聲平息，眾人的視線轉向他，他才開始祈禱。「我取下死𡇼之部分。」他向遺體鞠躬，恩戈亞以死魚眼回敬。「勿對我們發怒，勿憎恨我們，勿懲罰我們。且讓他們吃喝、劈椰子、開爐灶。且讓兒童吃，且讓女人吃，且讓男人吃。死𡇼啊，勿對我們發怒，啊嗚、啊嗚、啊嗚。」

愛迪斯敦島民祈禱完畢，總以這種半嗥半吠的怪聲結尾。恩吉魯塞一顆檳榔進自己嘴裡嚼，其他人時時瞥向恩戈亞，神態緊張，但恩吉魯走向圍觀的民眾，逐個請吃堅果。所有男人、女人、兒童各拿一顆吃下。即使是幼童，大人也替他嚼碎，強迫他含進去。

儀式結束後，恩戈亞被固定在木杆上，照島民的說法是「進樹叢」，其實是被扛去海邊，放進一種石室——稱爲艾拉，斧與盾擺在遺體的腳邊，仍維持坐姿，棍子將頭固定朝上，讓他從矮石牆望西天，面對落日。島民爲他留食物，也爲他的父母——「老靈」——留食物。恩吉魯說，在從前，這時會宰殺一個奴隸來獻祭，斷頭會放在恩戈亞兩腳之間的地上。恩吉魯的語氣帶有錯不了的怨恨，他怒視著瑞佛斯，彷彿廢除這種習俗的罪魁禍首是瑞佛斯。「現在全不相同。」

隔天，瑞佛斯去恩戈亞的門廳，想向依美雷致哀。他見到一幕奇特的景象。門廳裡以木板興建了一座隔間，尺寸與形狀近似恩戈亞移靈的艾拉石室，但這間的牆壁比較高。這一間木室裡坐著一名婦女，膝蓋觸及下巴，雙手放在腳上，姿勢與亡夫相同。她就是依美雷。她似乎已經在木室裡坐了一整夜，從她痛苦的表情看來，全身已開始痠痛。

幾位寡婦圍著木室蹲著，穿著褐色樹皮丁字褲的她們看似樹樁，許多是瑞佛斯常詢問的對象，請教的主題圍繞在性關係、親屬、婚嫁。瑞佛斯模仿依美雷的坐姿，問她們這姿勢怎麼說。她們囁嚅嚅，彼此瞄幾眼才說，**統葛波羅**。他跟著念統葛波羅，以確定自己沒讀錯重音。但他努力學土語並未獲得平常那種母愛的關照。他覺得她們看起來很緊張。

「多久？」他再蹲下問。

但她們不回答。瑞佛斯轉身看，見到恩吉魯剛進門廳，站在門口附近。

在恩戈亞死前，恩吉魯答應帶瑞佛斯與侯卡特去帕納凱如參觀石洞。石洞位於全島最高峰附近，必須爬一整個上午才能抵達，而且最初幾段路有濃密的樹叢。瑞佛斯傾向於認爲，恩戈亞一死，此行勢必延後，但他隔天早上鑽出帳篷時卻看見恩吉魯在等他，身旁圍了一堆比平常更多的跟班。

恩吉魯給他倆葉子穿戴，以避山邪，隨後一行人動身，心情愉快，有說有笑，但近中午時，路途變陡，大腿與背肌開始痠疼，大家才講不出話。上山的路如同島上所有小徑，窄到無法兩人並行。

一陣嚴肅籠罩著這群人。瑞佛斯看著前面的人的背肌運動著，揮汗努力上山，前方矗立著巨大的岩壁，中間有個山洞，猶如黑嘴。他們不時踩滑，不時連走帶跑，身後的碎石陣陣滾落。最後一道斜坡上有巨岩橫阻，也有較爲平坦的山岩，有些很尖銳。時間已近正午，大家的影子縮成形狀不規則的黑影，在行進的腳下躁動。其中一人撿石頭拋向洞口，用意是嚇跑幽靈。除了瑞佛斯與侯卡特之外，所有人都進過這座山洞，因此恩吉魯先祈禱他們不受病魔侵擾，然後才允許他們入內。祈禱進行中，他們看見其他人低頭鑽進岩壁下的山洞。

山洞裡面不高，長度卻令人訝異，深到看不見末端在哪裡。洞口附近有一片平石，稱爲幽靈座，是給新鬼坐的地方，偶爾新鬼爲了消磨時光，也會在岩壁上作畫。再往裡面走，在黑暗邊緣，另有一塊岩石供舊鬼坐。「所有舊托馬帖前來並且看新托馬帖。」恩吉魯告訴他們。

問。瑞佛斯轉向恩吉魯，指著舊鬼座。「他發臭，他腐敗，未久他去松投。爲何他不去松投？」他

恩吉魯攤一攤雙手。

岩壁上有各種圖案，據說是新鬼的傑作。侯卡特開始照著素描下來，記錄他聽到的名稱：一個男人、一個神靈、幾條豬、一艘戰舟。

恩吉魯想深談舊鬼的事。他說他自己不信這座山洞有鬼。應該是一個，一個……他對洋涇濱的耐心用罄了。他最後說，一個「瓦拉瓦拉」。就瑞佛斯所知，瓦拉瓦拉表示一種暗喻。目前愈來愈常見的情形是，他們嫌洋涇濱不夠清楚，因此兩人獨處時，會儘量用心去體會對方以語言傳達的概念。語言隔閡比瑞佛斯的設想更難以跨越，因爲除了常見的方言之外，島民也在儀式、神話、祈禱中使用「敬語」。此外還有一種「俗於托馬帖之語」，意思是幽靈語，他不准聽。

交談期間，他們渾然不覺進入山洞深處，瑞佛斯碰恩吉魯的手臂一下，指向後壁的一道窄縫，大家攀越過落石才到得了。抵達窄縫時，卻發現連瘦皮猴也擠不進去。恩吉魯說，這座山洞原本是「健康人」，能直通這座高山的核心，但後來發生地震，震垮了洞頂的一部分。瑞佛斯跪下去，向漆黑的縫內窺視。用爬的，他應該鑽得進去。出發前，他不知山洞裡是否黑暗，隨手帶支手電筒備用，現在派上用場。他躺下來，扭身入縫，手臂覺得濕濕的，心想可能流血了。鑽進隙縫的另一邊，他遲疑地站起來，然後高舉雙手，感覺周遭的空間極爲寬敞。這一座洞中洞好大。他伸手進後

口袋拿手電筒，這時發現恩吉魯也跟著鑽進來，所以一手伸進縫裡，避免恩吉魯畸形的背部被尖銳的石壁刮傷。

兩人站在一起，深呼吸。瑞佛斯把手電筒照向地上，往洞內深入，步步謹慎。他一手伸向前，手指觸摸到一個急忙溜走的東西，趕緊移動手電筒的方向，黃奄奄的燈光照到的景象令他霎時懷疑自己是否神智失常：岩壁是活的，表面布滿了起起伏伏的黑毛。

當然是蝙蝠。虛驚一陣之後，事實擺在眼前。他照向洞頂，看見幾千隻蝙蝠倒掛，甚至有幾十萬隻，全像黑壓壓的小鐘乳石。蝙蝠被手電筒照到，頭紛紛抬起，小臉顯得驚恐，露出粉紅色的牙齦與白牙，吱吱喳喳驚叫。

瑞佛斯不願驚擾牠們，所以動作放得非常慢，不出聲，把燈光照在地上，只見雙腳，不見頭身。他不應該被蝙蝠嚇倒才對，因爲恩吉魯提過，從前納羅渥村的壯丁常去帕納凱如的山洞獵蝙蝠。根據傳說，後來有一天，有個人進山洞後轉錯彎，同伴最後全平安出洞了，他卻愈走愈遠，深入山洞，最後巧遇另一個出口，終於回村裡。雖然他才失蹤一星期，回家時卻像老翁，在母親家住了三天，最後臉發黑，整個人幻化爲塵土。

沒有人跟著瑞佛斯與恩吉魯進入洞中洞。侯卡特忙著描繪壁畫，島民想必是害怕碰到傳說中的倒楣事。恩吉魯也怕嗎？就算他怕，他也不會顯露出來。這裡聽得見洞外人的談笑聲，在幾尺之外，但在這座漆黑、悶熱、蝙蝠遍布的洞中洞裡，他們徹底與世隔絕。

自從恩戈亞死後，這是瑞佛斯首度有機會與恩吉魯獨處。瑞佛斯想談談酋長寡婦依美雷的事，原因之一是酋長的喪葬儀式很重要，另一原因是他爲依美雷擔憂。

「統葛波羅。」瑞佛斯說。

他覺得恩吉魯退縮一下。

「多久？」他追問。「幾天？」

恩吉魯搖頭。「老古人他知統葛波羅，現在全不同。」

後半句的手勢是手刀劈空氣的動作，意思是輕蔑的否定，並非恩吉魯眞想切東西，不料手指碰到手電筒的頭，手電筒喀啦掉在地上，燈沒熄，在黑暗中以一顆黃眼珠聚焦在他們身上。這時候，岩壁被掀開了，朝他們壓下來。大批蝙蝠在洞內亂飛，瑞佛斯來不及看見光束變成蝙蝠隧道，視覺就被振翅啼叫的黑幕隱蔽掉，總覺得會被蝙蝠撞上，所以繃著皮，幸好一隻也沒命中他。

他閉眼站著，咬牙，感官超出負荷量，最後全數失靈，心智縮水成單一的光點。他叫自己別動，不會被蝙蝠撞到。之後，他完全停止思想，只是隱忍著，把自己當成一根血肉之柱，以腳底與地表相連，頭骨隨著蝙蝠的持續高頻啼聲震動。

洞口吐出奔逃的人群，背後跟著烏雲似的蝙蝠群，向上飛翔時前撲後繼，宛如傷口在水底流血。大家被嚇得講不出話，最後全轉身，看了整整一分鐘，傾巢而出的蝙蝠才漸漸稀薄。

在洞中洞內，瑞佛斯與恩吉魯睜開眼睛。蝙蝠出洞時，瑞佛斯覺得自己停止動作。他敢發誓說，他確實沒動，但現在他發現自己握著恩吉魯的手。他覺得……不是精神恍惚，恍惚不夠傳神。而是恍惚的反義詞。他覺得，自己幾乎像被切掉一層皮，渾身赤裸，殼被剝開了，與地球貼身。在濃得化不開的寂靜裡，他們訝然看著四方的灰色花崗岩壁，有幾處倒掛著一群群小蝙蝠，聚集成黑色的大方塊，等著媽媽回家。

一道日光射中他的眼睛。

「對不起，」爾文小姐說，稍微拉回窗簾。「昨晚睡得怎樣？」

「馬馬虎虎。」

他感覺像在悶熱的蝙蝠洞裡度過整夜，蝙蝠毛沾了一嘴，講話有困難。

「給你泡的茶。」她說著把托盤端上他的膝蓋。

他滿心感激地喝茶，默默詢問自己全身的器官，探問目前的狀況如何。普遍的回答是：慘。

「醫生，」她對他微笑說，「你不覺得應該去看醫生嗎？」

「不必了。醫生只會叫我儘量別下床，多喝流質物。我自己也能這樣吩咐。」

「好吧。你要什麼，儘管搖鈴叫我吧。」

「可不可以拉開窗簾？」

黑暗令他聯想到那座山洞。蝙蝠整夜附著在他的腦殼內壁。但現在，幸好有微風吹拂，窗簾輕輕喘息著。但他還是太熱。他踹掉棉被，解開夾克鈕釦，以衣服邊緣扇風，伸舌舔裂開的嘴唇。熱啊。

一出山洞，日光立刻照耀全身，時間已過正午，但灼亮的白岩仍將暑熱反射至他們的臉。回程的路上，瑞佛斯與恩吉魯走得比別人慢，瑞佛斯強烈意識到恩吉魯走在他前面，但兩人不語。接近村子時，兩人形成共識，刻意脫隊落後。侯卡特轉身等候，但瑞佛斯揮手趕他走。

有一棵斷樹倒地，樹幹長滿青苔，兩人在樹幹上坐下，烈日當空，炙烤著他們的頭頂，感覺像有人錘著帳篷釘入土。然而，即使汗濕衣褲，即使蝙蝠糞在襯衫肩膀乾成厚厚一塊，瑞佛斯在洞內的那份感覺仍在，有嶄新、脫殼而出的感受。

兩人靜靜並肩坐著，不急著開始雞同鴨講。一陣輕風冷卻他們的皮膚。

「統葛波羅。」瑞佛斯終於說，以延續剛才未完的話題。多久，他又問。幾天？

恩吉魯的表情是爽朗、想笑，帶有一種絕對是溫情的神態。恩吉魯回答說，時間不一定，一般而言是十八天。他的祖母遵守統葛波羅長達兩百日，但她是例外，因為恩吉魯的祖父侯牧是大酋長。若威阿納的壯丁為她吹海螺。

吹海螺？瑞佛斯問。什麼意思？

恩吉魯沉默一小陣子，但瑞佛斯認為，他沉默不表示不願詳述。此時此刻，恩吉魯應該會告訴他所有事。也許是因爲兩人在洞中洞裡握過手的緣故吧。不對，瑞佛斯心想。不對。山洞內的經驗有兩種，他相當確定恩吉魯全嘗到了。經驗之一是伸手去握對方。另一種經驗是縮小的感覺，不對，不對，不是縮小，而是自身意識的壓縮感，自身被壓縮成剛強無敵的一個小點。被壓縮成那一點時，再也無法妥協，除了純粹的、赤裸的自我主張之外，別無所剩。只有存在的權利，忠於自我的權利。

恩吉魯的祖父侯牧曾在一個下午力斬九十三人頭，因而威名遠播。恩吉魯的祖母是印卡瓦的親戚。在英國摧毀印卡瓦的基地之前，印卡瓦是歷代若威阿納獵頭大酋長最勇猛的一個。這是恩吉魯的傳承。瑞佛斯斜眼看他，近到看得見頰骨上的白石灰從緊繃的皮膚剝落。現在的恩吉魯，言語的出發點並非友誼——儘管瑞佛斯感受到友情——而是發自堅不可摧的那一小點自身意識，再也不避諱，不再支吾其詞，不再掩飾他對族人文化的驕傲。

恩吉魯繼續說，吹海螺象徵偷襲大功告成。他轉頭，正對著瑞佛斯。酋長遺孀想獲得自由，唯有一途，就是求取一顆頭顱。

第十一章

一九一八年九月十六日，星期一

我們住進坦部——一種像牛棚又像戶外廁所的建築。浪板鐵牆和屋頂，下雨時叮叮咚咚吵得半死，而外頭正在下雨。地上以乾草當地毯，窸窸窣窣，草味濃郁，被燭火照得閃亮。外面是原野。我們剛到時，這片原野還算美。經過昨夜豪雨，再經過無數軍靴和車輪蹂躪之後，現在的爛泥深度大約十八吋。狹道板開始下沉了。唉，泥巴到處鑽。我的睡袋裡面一點也不誘人——我衝動之下，昨晚差點想睡在睡袋外面。可是。不能抱怨。（爲什麼不能？全軍不正是發牢騷才活得下去嗎？）事實上，熟悉的事物差不多只剩泥巴和狹道板。

我的頭背有一種錯的感覺，洗刷不掉。比較貼切的用語是暴露吧。軍隊亂開玩笑，頭髮亂理一通，這次總算不能怪罪理髮兵了。我們經常在戶外，而我也習慣打地鼠戰，在地洞裡竄來竄去，像鼴鼠或大老鼠。（老鼠因人類而肥——是眞的。我們一定是害慘了鼴鼠。）我昨晚突然想到，瑞佛斯建議我拿自己當實驗，叫我踢足球到敵陣，他這種想法有個基本上的漏洞。瘋子是同一個——戰爭卻變了個樣。就我所知，瑞佛斯的構想是，這場戰爭導致大批軍人精神崩潰的關鍵因素並非恐懼——戰爭讓人害怕，這是天經地義的事。主因其實是，導致崩潰的壓力來自無法動彈、被動、無助的狀況。困在地洞裡，等候隨機發起的砲擊，最能惹人發瘋。如果關鍵因素在此，那麼這場實驗無效，因爲目前的每一次演習全針對開放式、行動式的戰事而設計。現在的狀況正是如此，戰爭改頭換面了。

我曾經告訴瑞佛斯，壕外戰的滋味很性感。我不認爲他相信，但那種感覺的確和性愛有共同點——血脈僨張、冒險、肢體暴露、有一種膽大妄爲的感覺。（我談的顯然不是床上的性愛。）然而，我現在完全沒有那種感覺。現在，以我而言，我有一種馬不停蹄、趕也趕不走的憂慮，因爲我人在戶外，自知不該置身戶外。新型的戰爭。問題是，我的神經是同一套神經。假如我頭上壓著一兩噸法國，我反而會比較開心。

白天忙著掃除。給士兵的獎賞是強迫進行球賽。我乖乖站在邊線，叫嚷，揮手。天氣冷，天色灰。足球好像一隻被雨打濕、沉甸甸、不肯飛的鳥，飛過陰沉的天空。士兵渾身泥濘，口吐蒸氣，C連對D連，當然競爭激烈，而且莫名其妙像夢境。以貴族學校橄欖球隊的心，踢著街尾足球。我旁觀著我這群紅臉、紅膝的同胞，在社交界的無人地帶裡來回衝鋒。幸好，至少軍官和士兵玩成一片——這是戰線以外的地方唯一的非正式交流。

半場休息期間，有些弟兄脫掉上衣，蒸氣從肉體上升，紅和白，凍裂的手和臉，大夥兒一起站著喘氣。詹肯斯對場外的某人揮手，一時之間，他的臉轉向我，偏綠的眼珠，紅頭髮，雀斑點點的乳白肌膚，令我不得不下一番苦心，才能轉移視線。染上「愛看英國兵」的名譽，那還得了？有害紀律。只不過，除了他，我有啥屁可看？

另外一種改變是士兵的表情。詹肯斯轉身揮手時的那種表情。以前，表情基本上有兩種。一種在埃塔普勒整軍區常見，是小白兔和鼬同籠的表情。這種表情，我只在戰場外的一個地方看過，就是在羅伊斯家。羅伊斯住在鄰街，家裡有四個男孩子，父親每晚灌完幾瓶酒，常叫他們排隊站好，掀起上衣後襬露出臀部，然後拿尺打。每晚如一。兒子之一有一次問：「爸爸，爲什麼打呢？」他說：「打你是因爲你做了自以爲已經躲過處罰的壞事。」話說回來，這幾個小孩眞能打架啊。其中一個是我在學校時的死對頭。

另一種表情是戰壕表情，不知內情的人看了望之卻步。我排的弟兄當中，任何一個都能擺出惡霸匈奴（譯註：「德軍」的綽號）樣，被軍隊拿去當成宣傳海報張貼，但是那種表情的內涵不是惡霸之類的東西，而是一種陰鬱嫌惡。在戰壕裡住久了，常見人骨插在土牆上，常在天寒地凍時見到死屍出現在射擊踏臺上，常見野戰廁所溢流，就有這種表情。

無論我們碰到什麼事情，都不可能比這種情況更慘。

九月十八日，星期三

今天帶兵去師部洗澡，澡堂位於一座低矮的大穀倉裡。雨終於停了，出大太陽，行軍的路途雖然漫長，卻不至於太累人。師部的人還沒準備好，所以弟兄在穀倉外的草地上坐著等，靠著彼此的膝蓋坐，或雙手抱著後腦勺，躺在草地上。接著，輪到他們洗澡了。

澡堂掛著幾排集雨水箱、酒桶，兩個舊澡盆（洗個像樣的澡）。洗澡水的溫度從滾燙到溫涼不等，視你排在哪裡洗澡而定。士兵脫掉衣褲堆起來，裸身排隊，瞎扯著，相互推擠，頻頻講笑話，有幾個人在高歌，大家開開心心，因為洗澡不像演習和訓練，不苦不累。在穀倉裡，幾百片小小的日光從牆壁和屋頂的裂縫照進來，爍爍如閃光絲，光輝在萬物的表面跳舞，照在褐色的臉和脖子、白皮身體，喉嚨有一條分界線，鮮明如上斷頭臺。

我對澡堂有個意見，我總是穿著衣服。軍官澡堂和士兵分開。而且……唉，說來奇怪。在性愛方面，我喜歡幻想的情境之一很單純，就是我全身穿著衣褲，從後面抱著裸體的男女愛人。我會感覺到（撇開顯而易見的感覺不談）極度的溫柔——唯有身為權力較大的一方，才有這種感覺。而我猜想，這種現象其實只是容易接受的虐待狂面貌。

如果對方是心愛的人，就沒有關係了，因為有無衣服只是一場遊戲。但這裡的情形不同。這裡權力不均等的情形是真的，打赤膊是非自願的。無計可施。我是說，我可以壓低視線，走來走去，活像處女姨媽去逛巨根韭蔥展。但我覺得不自在。至於其他軍官感覺如何，我懷疑多數軍官不會。

洗完澡，走出穀倉，進入戶外的空氣，穿上乾淨的衣物，各式各樣的內褲和背心，多數尺寸太大。陸軍訂購軍衣給帝國之子穿，可惜有些帝國之子童年常餓肚子，我排的一個弟兄身高差點不合標準，他領到的內褲太大，穿上之後可以向上拉到下巴，穿著到處炫耀，自我揶揄，絲毫不在意被大家取笑。

看著他，我忽然想到，士兵的赤裸有一種哀婉感傷的特質，不僅因爲裸體明顯太脆弱，也因爲穿上軍服時連帶穿上恥辱和匿名性。對多數人而言，對平民而言，多數時候正好相反。

行軍回營非常愉快，大夥兒唱著歌，體溫暖透了乾淨的衣褲，衣縫裡的小虱子立刻破殼而出。幸好我們已經習慣了。行軍時，思考的時間很多，我開始想起麥肯濟神父的教堂，聖壇屏陰影裡的大十字架凌駕所有事物，一束蜀葵躺在聖壇所裡，等著被擺進花瓶，長梗把地板劃得濕淋淋。在每一座祭壇後面，血、凌虐、死亡。聖約翰的頭擺在大盤子上，莎樂美把頭獻給希羅底，眾女的白手臂形成近似鳥籠的東西，包圍住死魚眼的斷頭。基督在鞭笞架上，表情至爲眼熟。聖瑟巴斯謙表演得過火，我的老友聖勞倫斯受火刑。麥肯濟神父在聖具室裡聲如洪鐘。他愛上我了，可憐的混帳，我眞的認爲他愛我。

我也想起澡堂裡排排站的裸男，想到，有這種感覺的人不只我一個。整個西線全是打手槍男人的樂園。瑞佛斯聽到這裡，會講一些理智、幽默、合理的話，但我堅守自己的見解，何況瑞佛斯不在這裡。待操的俏屁股一飄進視野，差不多就能斷定，大災難即將發生。

但話說回來，大災難確實是即將發生。所以無所謂。

九月二十二日，星期日

早晨——最稱得上是賴床的一天是在早晨起床（這星期我天天在五點半起床）。威耶特正在刮鬍子，外面正在作禮拜，不硬性規定士兵參加。煎培根的香味，鍋具敲打聲，隆士達夫邊吹口哨邊擦我的軍靴。哈磊特在餐桌對面寫信給未婚妻，每次一寫就是幾小時。雨停了，地上一派日光，乾草看似黃金。剃刀碰撞臉盆，聲響悅耳。老家週日早晨的往事幽幽飄回來——烘烤牛肉淋上肉汁泥，窗戶凝結水汽，老爸在讀《世界新聞報》，扔掉其中一半，救世軍在外面謳歌基督。

挺進，聖戰士，邁步上沙場，

聖架先鋒旗飄揚。

二十個——更多也說不定——男人齊聲唱。隆士達夫唱著改編的版本：

前進，傀儡軍，無畏上戰場，

勇將安然躲後方。
日夜大言終不慚，
自詡英勇無人擋，
實戰勇士忠骨寒。

唱得眉開眼笑，心情棒極了。大家都期待星期天的晚餐，因爲有烘烤牛肉和烤馬鈴薯可吃。我飢腸轆轆。何況，週日晚餐不舉行毒氣演習。士兵不知，我最清楚。

九月二十四日，星期二

坐車前進。一路上，弟兄唱著歌，情緒高昂，我想主要是因爲他們不必行軍。

九月二十六日，星期四

最鄰近的村子被炸成廢墟。月光下，斷垣的稜角出奇地峥嶸，高山峽谷發銀光，偶見黑色砲彈坑，裡面長滿雜草。

至於其他的村子，有些連廢墟都稱不上。軍人不准提起敵火導致的災情，但這些災情很多出自英軍的槍砲，所以或許我提一提無妨。有些村子被炸得一個東西也不剩。我們路過一個村子，沒有一堵牆高過膝蓋。舊戰壕挖得到處都是，有糾纏生鏽的帶刺鐵絲網，有戰死後就地腐敗的馬屍肋骨腔。景象越看越慘。

除了一兩個我去年認識的弟兄之外，大部分人的態度仍然含蓄。有時，旁無軍官的時候，他們的笑聲會飄過來。不常。士兵的隱私不多，習慣廝守著僅有的一丁點。常言的「奉獻」多半來自軍官——一部分的軍官——奉獻的對象是士兵。我自己不常見到回報。若說士兵信得過任何人，他們信任的是士官，因爲多數士官比較年長，而且背景和他們相同。但話說回來，我天生也沒有對他們負責的妄想。

我負責的是毒氣。副官說我是毒氣官，若不是講正經話，就是拿老玩笑尋我開心。我的老綽號是金絲雀，現在復活了。不知爲何，歐文的綽號是幽靈。據說他每次一躲進奎葛洛卡——我猜他覺得丟臉，不敢寫信（我也不寫）——大家就認定他死了。

毒氣演習每天不定期舉行多次。士兵不太討厭例行的講習（只討厭我上的課），但隨機演習則是人人痛恨。晚上本來好好的，大家準備休息，或是一球正要踢進球門，或是叉起第一口熱食到嘴邊，這時「嘩！」的一聲，響環噹噹啷啷響起，全員趕緊戴防毒面具，高舉雙拳，然後在面具裡嗚嗚高喊毒氣！毒氣！毒氣！大家變成巨眼昆蟲，在樹幹之間蹦竄。士兵最痛恨的——我最痛恨的是，行軍時，或是正在練體能，或軍刀課上到一半，毒氣演習突然來了。毒氣演習時，正常操課不能停，大家在綠光裡手忙腳亂，自己的呼吸聲灌耳——戳刺。拔刀。戳刺。拔刀——其他聲音全被淹沒。每一個動作都耗損元氣。

防毒面具是人見人厭。但我必須留意少數幾個兵。有些人，防毒面具一罩頭，馬上恐慌失色，完全無法適應。遺憾的是，我就碰到一個這種兵。幸好他在我的連上，方便我就近監視。

軍人對毒氣的態度變了。施放毒氣的頻率增加，大家愈來愈不怕。遇到毒氣警報時，有幾個弟兄甚至樂得手舞足蹈。他們的想法是，如果吸它一兩口不死，又能被後送回基地，何樂不爲呢？這種行爲相當於開槍射自己的腳，而且比自殘更難被揭穿。

晚餐時，我告訴哈磊特和坡茨，四年前，我們學到的毒氣自保法是尿濕自己的襪子，把襪子摺成一團，用另一隻襪子綁在口鼻上。他們兩個聽得目瞪口呆，不確定我是不是在開玩笑。「有效嗎？」哈磊特問。「沒效。」我說。「不過，心情比較不緊張。」兩人停了呵呵笑，我想他們知道我只是逗著玩，所以如釋重負。

以前吸進毒氣，嘴巴周圍會出疹子。會不會妨礙觀瞻，並不是很重要。

今天是發餉日。一整個下午匍匐前進、衝刺、跌倒、再匍匐前進，橫越大片濕地之後，弟兄們身上的泥漿乾掉，形成土殼，看起來像整個人是泥巴做的。累歸累，發餉日是人人歡迎的，即使有錢沒地方花，也照樣高興。士兵們排隊聊著天，推擠笑鬧著。這時候，警報又來了，怨嘆聲四起——（毒氣果眞飄來了，哪有怨嘆的閒工夫？這缺點有待加強）——接著是例行動作：握拳振臂：毒氣！毒氣！毒氣！

大家繼續排隊。被泥巴涂成褐色的士兵站在泥濘裡，西斜的日光爲手背鍍金，跟空氣接觸的皮膚只有手背。我坐在哈威克旁邊，在姓名上面打勾。有個兵正在領餉，排在他後面的兵正好稍微偏頭，我在昆蟲大眼裡看見落日，不是一個，而是兩個。

九月二十八日，星期五

昨晚的砲擊延續到現在，前進的道路全被封鎖，駕駛在泥濘中進退不得，彼此罵髒話，天空有青黃閃光，不時傳來砲彈咻然飛過、轟隆的聲響。頭上是川流不息的飛機嗡嗡聲，全數有去無回。

我們今晚進軍。

第十二章

瑞佛斯走在帳篷與納羅渥村之間的小路，滿月將他的身影映在前方，四面八方是樹叢的磨擦、吱叫聲，某種野鳥的啼聲變成怪笑，接著沉寂片刻，再傳來磨擦聲、吱叫聲，獵食瘋潮延續整夜。進村子後，他直接進恩戈亞家，彎腰進入門廳，避邪符在他經過時哆嗦一下。照顧依美雷的寡婦群睡著了。瑞佛斯踮著腳尖走過她們身邊，跪下呼喚：「依美雷！依美雷！」低聲催促著，驚動一位寡婦。這位寡婦動了一下，喃喃講著夢話。他等到寡婦重回夢鄉，然後再呼喚依美雷，遲遲不見回應，他才推開門。裡面坐著一個女人，坐姿依循習俗，駝著背，雙手放在腳上。她是凱瑟琳。

「凱瑟琳，凱瑟琳，」他說，「妳來這裡做什麼啊？」他的嘴唇一動，整個人驚醒過來。

他坐在床緣，看著手錶。四點，這種時辰醒來最難受。喉嚨痛得厲害。他嚥幾次口水，決定目前最需要的是傳統的偏方：一杯水。

進浴室，他被白光照得直眨眼，瞥見鏡中人，不禁嘀咕，天啊，怎麼把自己搞成這樣？他看著浮腫的眼袋與漸稀的頭髮，思量片刻，幸好他的神經官能症或自戀不太嚴重，不至於相信凌晨四點被頭上的電燈照到，內心世界會曝光死。他喝一杯水，回床睡覺。

儘管時辰還早，窗簾縫透入一絲絲光線。他猜是星光，今晚沒月亮。這種夜色說也奇怪，令他遙想起愛迪斯敦島上那座帳篷裡的燈光。他把枕頭捶成比較舒適的形狀，儘量再睡。

「帳篷門別關。」瑞佛斯說。

今天比平常熱，熱烘烘如烤爐，烤得人與樹像水面倒影一樣搖曳。帳篷外的土地被烤硬了。他看著一隊紅螞蟻在大地跋涉而過，最後一群扛著一隻體積大過自己幾十倍的死甲蟲。

侯卡特走出帳篷。「我今晚大概沒辦法睡裡面。」

「你要的話，我們可以睡外面。只要你記得掛蚊帳。」

桌上有晚餐的殘餚。兩人晚餐時都不太有胃口。

「我們怎麼辦？」侯卡特問，盤腿坐在瑞佛斯旁邊的地上。「他們帶一顆頭回來的話，我們怎麼辦？不只一顆的話，願上帝保祐我們。」

瑞佛斯緩緩說：「合乎邏輯的反應是，我們不介入。」

「合乎邏輯的反應是，我們死翹翹。即使我們決定不報警，他們怎麼知道我們不會報警？從他們的觀點來看，唯一保險的做法是——」

「遵守法令。」

「解決我們。」

「我不認爲他們會動手。」

「他們能嗎？」

「呃，是有可能。重點是，他們不會拎著頭回來。」

「可是，如果——」

「如果發生了再說。」

侯卡特頑強沉默許多，不肯信服。

「你知道這種罪會受什麼處罰。如果他們去突襲，英國行政官不可能不會聽說。他一聽說，會派砲艇過來，然後村落起火、樹林被砍掉、農作物受損、豬群被宰殺。驚叫的婦孺被趕進樹叢。會發生什麼事，你不是不曉得。」

「讓你覺得身爲英國人眞光榮，對不對？」

「你是暗示說，獵首級應該合法化？」

「不是。」嘴唇緊閉。

「那就好。這些人從前到處獵頭，伊沙貝爾差點變成無人島。非禁止不可。」

「那麼，他們怎麼把她救出來？」

瑞佛斯遲疑著。「我不知道。她不能永遠蹲在裡面。」

他竊想著一件事，卻礙於迷信，不敢說出來。他認為，情況演變到最後，會以依美雷自殺收場。瑞佛斯實在預想不到其他結局。

隔天早上，他去看寡婦塔汝。那天恩吉魯去移除她腹部裡的昂嘎辛，瑞佛斯比畫間歇性便祕與腹瀉的動作，把她逗得笑呵呵，從此她對瑞佛斯心花怒放（瑞佛斯也非常喜歡她）。

她與好友寡婦納莉一起去海邊玩水，回來時滿頭鹽水味。塔汝坐下，褐皮膚的瘦手交叉乳房前，背靠著她家茅屋的牆壁，她在太陽下輕輕冒著蒸氣，一群母雞在她身邊啄塵土。他在塔汝身邊坐下，欣賞著小公雞頸毛的翠綠暗光。村子的人聲漸漸多起來。

閒扯幾分鐘之後，瑞佛斯開始發問，延續上次問到的愛情咒語。另有三位婦女走過來旁聽。他取出筆記簿，記下塔汝說的情咒用語，同時意識到，悄悄話與嘻嘻笑的動作比平常多。塔汝請他嚼檳榔，他心想，要牙齒做什麼？管他的。他接下。婦女們又嘻嘻笑。過了一會兒，塔汝送他石灰，他為了討好塔汝，讓塔汝在他的雙頰畫白線。到了這階段，她們笑得幾乎前仰後合，但瑞佛斯繼續追問情咒到底，這時她才表明，唯有男方接下女方籃中的檳榔與石灰，情咒才會生效。

他跟著大家笑哈哈，等她們笑夠了，大家和樂融融，瑞佛斯覺得她們會有問必答。甚至不忌諱依美雷與統葛波羅的問題。塔汝堅決否定依美雷會自殺。自殺的土著語是「盎基」，與統葛波羅完全是兩回事。前一任酋長去世之後，塔汝與納莉曾經協助遺孀柯拉自盡。柯拉起初以香菸草的方式自我了斷，但沒有成功，接著嘗試自縊，可惜樹枝被壓斷。所以，柯拉在自己脖子上纏白棉布條，請塔汝與納莉合力高舉一根柱子，讓她上吊。瑞佛斯心想，倒比較像絞刑。這種死法既不乾脆也不輕鬆。遺孀自殺或遵守統葛波羅的取決因素何在？他問。她們回答說，由她自己選擇。

回到營地，他發現侯卡特躺在帳篷外。侯卡特已經花了半個上午洗衣服，正在睡覺或休息，以手臂遮臉，阻擋陽光。瑞佛斯提起一腳，輕踏他的胸部。

侯卡特睜眼看他，見到他臉上畫著白線。「我的天啊。」

「我認爲我剛剛訂親了。」

侯卡特狂笑一陣，撼動肋骨腔。「哪個女人的福氣這麼大？」

即使睡在帳篷外，他們依然熱得難以成眠。有時候，他們乾脆不睡，去淺水灘躺著泡水，讓磷光點點的細浪擊拍身體。

瑞佛斯滿腦子盡是依美雷，無論他去哪裡，無論他做什麼事，依美雷蜷縮家裡小隔間的苦狀如影隨形。最後，無論瑞佛斯怎麼看島上的生活，囚禁的陰影總籠罩在每一件事物上。

每天早晨，他會去泡海水，觀看獨木舟出海，看著划槳激起白沫，聽見天字歌——「阿咿耶、阿咿耶、阿咿耶」——從海面飄上岸，聽來好像全是母音，一個子音也沒有。接著是拍水引誘鰹魚入網的聲音。

氣氛依然詩情畫意，瑞佛斯個人的快樂不減，但目前心中總有兩顆暗點，一是依美雷被幽禁，二是恩戈亞在石室裡腐爛。他走上海灘另一邊的步道，無法解釋非看恩戈亞不可的衝動。對他而言，腐屍既不讓他感興趣，也不令他恐懼。屍體不是埋葬，就是解剖。僅此而已。然而，他仍非看恩戈亞一眼不可。

前往石室的小路還沒走完一半，臭氣就傳進他的鼻孔。他捏著鼻子，張口呼吸，再走幾碼，不得不放棄。一團黑蒼蠅見他接近，集體升空，密密麻麻似固體，宛如一股被賦予聲響的暑氣。他倒退走，因為他最能直接聯想到的是山洞裡的蝙蝠。那次他體驗到一種脫殼、剝皮的感受，當時有煥然一新的感覺，現在卻令他惶恐。他願坦然接受此地可能發生的各種狀況，態度像兒童一樣開放，因為一生從未有過相關的體驗。

溽暑延續著。下午過半之後，天空泛起異樣的青銅光，向晚時分轉成棕褐色，彷彿連空氣也被燎焦。偶爾吹來幾陣風，挑撥樹木最外層的枝椏，卻擾不動肅殺的氣氛。

瑞佛斯睡得不安穩，最後在「禽他高歌」時分醒來，以為聽見另一種沒聽過的聲響。他躺著傾聽一下，聽不出所以然，正要翻身再睡一小時，聲音又來了：刺耳的吹海螺聲。

不到幾分鐘，瑞佛斯已經站在帳篷外。樹叢扭曲了螺聲，回音激盪著，但他隨後意識到，有一群人急忙穿越林蔭植被，直奔海邊。他搖醒侯卡特，跟隨島民奔跑，稍微落後幾步，因為他不清楚這事的機密性多高，也不知道島民肯不肯讓他目擊。

他看見恩吉魯站在水濱，披著白布，一手持杖，瞭望著海灣。

一艘獨木舟朝岸邊急行而來，槳手是勒姆布，船尾放著一包東西。獨木舟還不夠近，瑞佛斯看不清那包東西是什麼，但圍觀群眾齊聲喊「啊」。剎那間，婦女與女孩拔腿奔向海裡，像馬一樣抬腿奔馳，跑至深水區，她們才撲水游泳，抓住獨木舟的邊緣，將船引導入淺水灘，勒姆布下船，全身上下無論是牙齒、頭髮、眼睛、皮膚，一律閃亮耀眼。他把獨木舟拖上岸，走回船尾，解開包袱，把裡面的東西拖上沙灘。一個年約四歲的小男童。

由於似乎無人在乎他是否看見，瑞佛斯走向獨木舟。男童的臉上淚痕縱橫，有泥沙也有鼻涕。他現在其實止住哭泣了，只剩不規則的嗝聲震撼著薄胸。島民朝他蜂擁而上，盯著他看，這時他挨向俘虜他的壞人，骯髒的小手按向勒姆布的大腿皮膚上。

瑞佛斯走向恩吉魯。「你要的頭，就是這一顆嗎？」他問。他沒發覺自己講的是英文，不是洋涇濱。

「對。」恩吉魯的態度肯定。

他從勒姆布那裡接過男童，身邊圍滿了興奮、微笑的島民，大家把男童抱向通往村子的海灘小路上。瑞佛斯跟過去，但落後一大段距離，看著民眾聚集在恩戈亞的門廳外面。眾人進村子時，勒姆布吹海螺，進入門廳時再吹一次。過了一會兒，依美雷走出隔間，搖搖晃晃，兩手搭在塔汝與納莉的肩膀。勒姆布與恩吉魯陪她走出屋外，眾人歡呼，唯獨小男童例外。他孤零零站在人群中間，兩顆眼珠看似黑色泡泡，隨時可能破掉。

第十三章

一九一八年十月四日

能寫什麼呢？我卻非寫不可，因爲儘管現在記得的東西很少，事隔幾年，能記得的東西更少。何況，推說完全不記得，也不見得是眞的。很多完全不記得的東西，其實是今生忘不了的東西，而少數幾件事是祈禱忘記卻永難忘懷。但事件之間的關聯會斷。往事的氣泡浮上水面會破，就像這附近積水的砲彈坑常見的現象——有些砲彈坑已經存在好幾年，什麼東西沉在底下，只有天曉得。

在十月一號的晚上——我猜是一號（日期也會被忘掉），我們整晚躲在一呎深的戰壕裡，算是戰勝的獎賞，因爲那一條是德軍的戰壕。另一項獎賞是，我們左邊沒有英軍，因爲我們超前所有單位。我想我可以說，我們是唯一突破興登堡防線並且站穩陣線的單位。當時剛入夜，天色黑漆漆，深黑色，我們準備進行拂曉反擊。在天亮之前，我們無事可做，只能等，既擠得受不了，也腹背受敵，因爲機關槍從左右前方縱射而來。何況，「擠」不是譬喻的說法。那條戰壕頂多不過是泥土地上的一道凹痕。不經心的動作一來，馬上挨槍子。而且大部分時候，我們戴防毒面具，因爲我軍進行過猛烈的毒氣攻勢，毒氣徘徊不散，整片戰場彌漫著自殺未遂的臭味。我一直聽見莎拉提起強尼，說，是被我軍的毒氣害死的，可惡，是我軍啊。儘管演習無數次，部分弟兄的防毒面具戴得太慢，有一兩個兵出現不良反應，接著歐克沙特還在這時恐慌症發作。我爬向他身邊，儘量安撫他。我不是從弟兄身旁爬過去，而是從身上爬過，活像魚缸裡的一條鰻魚溜過其他鰻魚。躲在壕溝期間，我記得一度忍不住爆笑，原因是什麼，不記得了，總之笑一笑心裡好舒暢。有一種怒笑能讓人回歸原來的自我。我和隆士達夫分吃一條巧克力棒，兩人合蓋著我的長大衣取暖。接著，反擊的時刻來了。

兩個往事氣泡在這裡破掉。隆士達夫向後滑回戰壕，額頭多了一個紅孔，臉上一副輕微訝異的表情。另外還有刺刀幹的好事。這事，我以後不會記得。瑞佛斯會說，趕快回想吧——壓抑記憶，只會爲將來蓄積麻煩。哼，太可惜了。拒絕思考是我唯一的生存之道。更何況，將來是什麼東西？

根據瑞佛斯界定的病因，這整條壕溝是精神崩潰症的地盤，空間侷促、動彈不得、無助、被動、無從閃躲的持續危機。幸好我的神經似乎還挺得住。至少狀況不比任何人差。所有人的心都在逃竄，急忙找地方躲起來，逃避自己看見的景象。逃避自己做過的事。但表面上，大家談笑自若。我們即將行軍回去，穿越同樣的淒涼氣氛，不同的是這一趟邁向安全。另一營三級跳超前我們。每次我右腳觸地，我會默念，結束了，結束了，結束了。因爲戰爭即將結束，大家都知道，而戰爭結束的原因之一是我們的功勞。突破防線的是我們。站穩陣線的是我們。

十月五日

我認爲，最慘的時刻是在反擊之後，大家整天躲在那條戰壕裡，遍地是死屍。我仍把隆士達夫留在身旁，但他死後表情變了。驚訝的表情消失了。活人聽著傷兵在戰壕外呻吟。兩個擔架兵自願衝出去，一起立，立刻中彈。後來，另一個兵再嘗試。之後我下令，全員臥倒躲著，不許再出去。到了入夜之前，多數的呻吟聲已經停止。少數幾個兵傷勢較輕，趁夜色爬回壕溝，我們盡可能替他們包紮。然而，有個弟兄一直呻吟不停，聲音不像人，甚至不像動物，比較接近排水管阻塞的咕嚕喉音。

我決定自己去試試看，帶魯卡斯一起去。以前的壕外戰是攀爬出戰壕，這次則是像蛇一樣，鑽過鐵絲網，趴進泥濘，袖子被鐵刺鉤住。我感覺臉頰有寒意，也感覺頭上有一片無垠的太空。躺在空地上，躺在太空中的這顆旋轉球上，總有那種感覺。儘管子彈從頭上飛過，照樣有空閒領受這份感覺。光聽不看，我比較不怕。

咕咕嚕嚕的聲音把我們引過去。他躺在積水的砲彈坑口，半身浸水，而毒氣常逗留在水邊，這裡的毒氣更濃。我們正要過去救他，子彈打中水面，啪、啪、啪，發出無傷大雅的聲音，好像撿扁石朝河面打水漂。幾顆子彈射中坑口，打到我們幾秒前的位置，擊落背後的鬆土。我們接近時，咕嚕聲變了，想必他知道某種事情即將發生。我不認爲他有更明確的想法。我爬到他的腳邊，開始檢查他是否有腿傷。腿沒事。我其實也不認爲他的傷在腿上。那種咕嚕聲只能來自頭傷。比頭傷更稍微慘一點點的是，他最靠近我的這一面完好無缺。他從頭到腳發抖，皮膚被星光染成青色，我們的皮膚也一樣，但他的色調是休克的深青。我喊：「哈磊特」，咕嚕聲停止一秒。我向魯卡斯比手勢，請他幫忙爲傷兵翻身仰躺，傷口這才曝光。腦髓跑出來了，失血嚴重，很多不是血的東西順著脖子往下流，掉了一顆眼珠。一個孔——我本來想說，在他左臉頰上有一個孔，但他的左臉頰不復存在。別的地方有東西在燃燒，橙光射向天空，反射在我們身上。失火的是一棟農舍，是我們的方位參考點之一。雲的底部被火焰染成橙紅。

我們拿繩子，穿過他的身體下面，把他綁好，開始拉他出坑，從坑口的另一邊拉出來，拖向我方壕溝。我邊拖邊想，何必呢？反正他遲早會死。我認爲，我當時考慮殺了他。拖拉的過程中，他一度慘叫，我看見他滿嘴是血，看見臼齒的塡料。慘叫一聲之後，他安靜下來，救他回去變得比較容易，但這時一顆信號彈升空，以顫光照亮萬物。狗雜種，狗雜種，狗雜種，我在心裡罵。我聽見聲響，發現坑口多了一個人，蒼白的臉正在往下看。他是卡特。我事後得知，卡特自願出來救人。幫倒忙嘛。三加一，四人老是妨礙到彼此的動作。我們設法拉他回去，敵軍的攻勢稍稍緩和，但我不認爲對方故意放水。當天敵我雙方表現的慈悲心太少了，對方不可能放水。

我們滾進戰壕，哈磊特掉在我們身上。有個濕濕的東西黏在我臉上，不是泥巴。我伸手去擦，發現指尖夾著哈磊特的一小團腦髓。救他回來的最後一段路上，他不再出聲，因此我察看他時，以爲他若不是陷入昏迷，就是已經斷氣，但兩者皆非。我餵他喝水，一手非按住他的臉不可，否則水會從破洞嘩嘩流掉。我邊餵邊想，你快死好不好？看在上帝的份上，快死吧。但他沒死。

最後，我們接到撤軍令時，我記得抬頭望天，看見天空籠罩著偏綠的薄紗，星光顯得稀疏而黯淡，當時心想，謝天謝地，入夜了，因爲砲彈依然直飛過來，有些正中路面。有黑夜掩護，至少行軍起來相對安全。

太陽掛在地平線的唇邊，充斥整片天。到底是因爲斜角偏低，或者是因爲煙霧彌漫，總之這顆太陽巨大無比。整片情景不像是地球上會發生的事，一方面是由於太陽好大，另一方面是因爲四周毫無生命跡象，滿目瘡痍，痘疤點點，發臭的砲彈坑，虬結的帶刺鐵絲網。連鳥類也沒有，連專食腐肉的鳥類也不見一隻。連烏鴉都心灰意冷。我帶領本連弟兄蹣跚前進，等著太陽沉下去。可惡的太陽非但不沉，反而爬升。糊塗的不只我一個。我轉頭看其他人，大家同樣愣得傻眼。我們連續四天沒睡覺。這一種累，屬於另一個世界的累，正如同砲擊時的聲響一樣，不能拿其他聲響來相提並論。這種累，是涉累前進，是挨著累走路的累。我眞心認爲，假如這場戰爭延續一百年，保證會演化出另一種語言，能夠描述砲擊聲，能夠描述索姆河戰場八月大熱天的蒼蠅聲。現在這些東西找不到貼切的形容詞。眼見落日昇起的那份心情，也找不到形容詞。

十月六日

撤退夠遠，我們又能和其他連的軍官一起開伙。我坐在一張長短腳的桌子前，檢查信件，因為信送來了，其中一封是莎拉給我的信。她說她沒有懷孕。我現在的感受究竟是什麼，我不清楚。我應該高興才對，而我現在當然很高興，但我最初的反應不是。在那一剎那，有另一種心情，隨後才卸下心頭的重擔。

也有陣亡士兵來不及收的信。我對照陣亡名單，逐一在信封左上角寫上堅定的粗體字：身故。反擊的傷亡比第一次進攻更慘重。

格瑞葛傷重死了。我記得他拿家書給我看，幼女拿紅蠟筆在信上寫著大字「吻」。

短短一個月前還在亞眠當室友那群人，如今坡茨受傷，存活率極高。歐文的僕人瓊斯受傷，可望存活。哈磊特的傷勢很重，我預料他不可能活下去。我有時在腦海看見他躺在庭園的蓮花池裡，金色的小魚在他四周游竄，大腿上的氣泡成排。與其說是腦海裡的影像，倒不如說像一種花樣，沒有縱深，缺乏遠近感，卻鮮明醒目。另外，隆士達夫死了。

費甫領主曾有一妻，如今她在何方？（譯註：馬克白夫人憂心自己下場之語。）

我望向桌子對面的歐文。他的下唇叼著忍冬菸，正在寫傷亡報告。現在有福氣了，又有香菸可抽，而且多的是。他的頭髮現在長了，落在額頭上。那一役之後的幾天，他制服上的血凝固變硬，他照樣穿著到處走。我不一樣，我身上有血有腦髓。那幾天，我們一定臭得像屠宰場的水溝，但話說回來，我們的嗅覺早已痲痺，聞不到彼此的體臭。他看似倫敦東尾區的男孩。待價而沽。我不得不說，我不介意示好。他發現自己成了別人審視的焦點，抬眼望過來，微笑一下，遞菸給我。我看見他在進擊的戰場上，斗篷和防毒面具血淋淋。他從敵軍手裡搶走一把機關槍，近距離轟死他們。像殺死水桶裡的魚。我這時想知道，他最近是否常見那幾張敵軍的臉孔，灰白、下巴收不攏的臉，被子彈射中之前，生命早已流失一空。反擊戰死在我手下的那幾張人臉，我現在還看得見。我不會問他。就算我問，他也不會回答。我沒膽問他。我首次領悟到，從事瑞佛斯的職業也需要勇氣。

我們甚至不提己方陣亡的弟兄，白天以無意義的事情填滿空閒，比較容易淡忘。那天，我的右手食指和中指摸到哈磊特的腦髓，現在我用拇指磨擦這兩支指頭，感受不太多。

我們是奎葛洛卡的成功個案。看看我們嘛。我們不記得，我們沒感覺，我們不思考——職責之內的東西例外。以任何一個文明社會的標準（但現在，文明的定義何在？），我們是令人驚恐的物體。但我們的神經狀態全然穩定。而且我們還活著。

第三部

第十四章

敵我激戰
各有死傷
德軍靜候刺刀戰

瑞佛斯心想，普萊爾應該也在那場戰役裡。瑞佛斯從早餐的托盤上拿起報紙，致力專心一陣子。即使從這篇士氣激昂的報導也看得出傷亡慘重。還沒必要查看陣亡名單，因爲姓名至少一星期才會回報。然而，如果普萊爾平安，瑞佛斯倒是可以在這幾天接到戰地明信片。普萊爾的上一封信口氣還好，但那已是十天前的事。

每次瑞佛斯收到法國戰場軍人寄來的信，羡慕之情總會刺痛他的心。展閱普萊爾的上一封信時，瑞佛斯也有同樣的感受。假如這場爛仗非打不可，他寧可與十傷馬紹爾攜手奮戰，也不願與陰莖被先閹後醃的泰爾富同赴戰場。他儘量專心閱讀交戰的細節，但報紙的文字在他眼前模糊。今天房東太太準備了水煮雞蛋——她花費多大心血才買得到蛋，只有天知道——瑞佛斯吃蛋下腹之後，感覺像鉛塊一般沉重。他眞以爲，再硬吃一口，肯定會反胃。他摘下眼鏡，放在床頭櫃上，推開托盤。他原本只想休息一會兒再繼續閱報，無奈床單上的手指鬆懈下來，抽動幾下，幾分鐘後，標題嘶喊著遠方戰役的報紙從他手裡鬆脫，邊嘆息邊墜地。

恩戈亞的骷顱頭被夾進樹枝分岔處，被烈日曬白。一隻青蠅在眼眶飛進飛出，找不到値得關注的東西，因此振翅航向青天。

瑞佛斯步下海灘，想去泡一泡海水，途中駐足看看骷顱頭。才一個月前，他與這人交談過，甚至在告別時短暫與他握手。難怪島民佩戴沛普葉織成的項鍊自保，以驅趕托馬帖．干尼．洋姆波，亦即「食屍靈」。

那天後來，他看到勒姆布從伊沙貝爾島帶回來的小男童。在恩吉魯的茅屋外，男童無精打采蹲著，拿著小樹枝戳著身邊的塵土。他不哭，但他的神態茫然。據說他是被抱來的，但瑞佛斯不太相信。在這些盛行血戰的島上，儘管獵首的習俗已被廢除，連最窮苦的家庭也不願意犧牲兒子。綁架的可能性比較高。瑞佛斯看著男童幾分鐘，多想走過去，卻也知道陌生白人現身只會加重幼童的恐懼。

那天夜裡，侯卡特躺在床上睡不著，問：「他們準備殺他嗎？」

「他們不會——殺了他，他們也非殺我們滅口不可。」

「說不定，他們殺人根本不擔心被抓。」

「行政官接到報告以後，他們就會擔心。」

侯卡特翻來覆去，一面抽搐，一面喃喃說夢話，終於睡著，瑞佛斯仍躺在床上睡不著，想著，如果島民眞想除掉這兩個白人，也並非難事。白人死於俗稱黑水熱的瘧疾併發症是常有的事，而島民必定弄得到死狀相仿的毒藥。不必看恩戈亞的骷顱頭便知，等到下一班汽輪進港，雙屍內外的證物將所剩無幾，調查也查不出端倪。更何況，下一班汽輪的船長是布列南，因爲他是這一區的貿易商，而且他一看狀況不對，會馬上原船掉頭，一溜煙不見船影。現階段，瑞佛斯與侯卡特只能等著瞧，儘量當心。

隔天早晨，瑞佛斯進村了，小男童不見了。

他們獲邀參觀恩戈亞移靈髑髏屋的儀式，主持人是恩吉魯。

天剛亮，他們被殺豬的尖叫聲吵醒。整個上午，炊煙直直升空。正午過後，儀式開始，艷陽直射肩與頭，再加上兩盆火的熱度助威，瑞佛斯與侯卡特覺得更熱。一盆火在髑髏屋前面的爐床，是獻祭之火，大家圍著另一盆火坐，參加的人有瑞佛斯、侯卡特、村民，以及附近村落的島民。瑞佛斯放眼尋找小男孩，但四處看不到人。在瑞佛斯身邊，勒姆布拿著藤蔓織辮，用來固定恩戈亞的頷骨，然後將貝殼王冠戴上頭蓋骨，在眼眶塡入其他貝殼。

火的另一邊，移動的人影在火焰裡飄搖。一位婦女名叫南佳，抱著一個嬰兒。她親生的小孩死在幽禁屋，現在哺育著奎妮。恩吉魯曾帶瑞佛斯去看奎妮，當時她羸弱不堪，現在嚙著奶頭，喝著奶水，吸抽著鼻子，原本病弱的大腿已開始豐盈起來。瑞佛斯心想，她能活下去。想到這裡，他心情愉悅不少，因爲他終究是西方人，看見骷髏頭堆積成山，心裡總是毛毛的。

恩戈亞戴著王冠，恩吉魯把頭高舉，現場肅靜下來，只聽見兒童恣意哭鬧，但聲音遙遠，不會干擾到儀式。瑞佛斯大致聽得懂恩吉魯的祈禱詞，不需翻譯。「吾人獻祭甜點，獻祭豬肉，獻給諸位神靈，敬請在戰時賜福予吾人，在海戰期間賜福，在堡壘賜福，在焚燒茅屋時賜福。請接納亡酋……」這時，恩吉魯把恩戈亞的骷髏頭放進屋中。「賜福予吾人，力克敵方。啊嗚、啊嗚、啊嗚！」

依照舊習俗，悼念亡酋完畢，獵頭突襲應緊接著盛大展開，以上述的祝禱求吉祥。戰士凱旋歸來時，島民會舉辦夜祭，所有年輕女子會對勇士投懷送抱，俗稱圖格雷。然而現在，獵頭突襲停辦，神靈不會回應禱告。恩吉魯把豬肉與蕃薯甜點丟進獻祭火，太陽下的火焰變淡。隨後，恩吉魯拿起剩下的點心，繞著包圍這片空地的石頭走，舀一匙相當於一口的分量，放在每塊石頭上。這些石頭稱爲托馬帖．帕圖，亦即石魂。陣亡勇士的遺體若無法運回鄉，村民會以石立碑紀念。瑞佛斯看著他從一塊石頭走向另一塊。

獵首級的劣習非禁不可，然而廢除之後的負面影響隨處可見，島民生活明顯變得無所適從、有氣無力。獵頭是島民傳統的人生目標。獵頭曾是島民最高的樂趣，被禁止之後，島民的人生幾乎喪盡所有色彩，只不過講這種話未免太冷血、太輕率。

缺乏戰事，這一族人因而逐年凋零，出生率一代不如一代，在族譜上有跡可循。全島人口比睿南貝西年少期間跌掉一半以上——多數是人爲因素。

人口暴跌，島民爲了紀念駕崩的酋長，情急之下難道不會砍下一顆小頭來獻祭？突襲，他們辦不到，因爲處罰太嚴厲。反過來說，少了一個小男孩，有誰會放在心上？

島民請瑞佛斯吃燒蕃薯與豬肉，他接受了，但仍心事重重。他抬頭看見恩吉魯站在火焰的另一邊，高瘦的佝僂身影在熱氣柱裡飄搖，看清恩吉魯的神情，不禁詫異。是怨嗎？不對，比怨更強烈。甚至稱得上仇恨。

昆達夷帖能翻譯象徵幽靈語的俗於托馬帖之語。他說，老魂回來接新魂前往松投的夜裡，有時島民會聚在一起，他會請教亡魂，島民聽得見亡魂的回答。島民會爲恩戈亞舉辦人鬼對談嗎？瑞佛斯問。昆達夷帖不知道，不確定，大概不會。送你十支菸草棍，你肯嗎？昆達夷帖點頭。瑞佛斯先送他五支，承諾隔天早上再補送五支。侯卡特問，聽得見恩戈亞講話嗎？不會，昆達夷帖回答。「恩戈亞他尙不說話。他同皮卡尼尼是小小人。」昆達夷帖握著菸草棍，似乎憂心忡忡。「勿告訴恩吉魯。」他最後說。

眾人在日落時分再聚，地點是恩戈亞舊宅的門廳，盤腿圍火而坐。火燒著綠枝，因此煙濃難耐，嗆得大家咳嗽，淚水直流，空等著。外面一片黑，月亮尚未昇起，南佳抱了一堆枯枝進來，以熟練的動作伸手燒柴，一支接一支餵火，火旺得嗶啪噴射。奎妮哭了，南佳搖著她，安撫她。年紀較大的兒童在火光中瞪大眼睛，瑞佛斯則覺得眼瞼愈來愈重，因爲他今天大清早起床，在酷熱中徒步數哩而來，一直沒機會休息。他猛眨眼，逼自己環視團團圍坐的村民。在場的人包括依美雷——應改稱寡婦依美雷。她披著褐色樹皮布，不塗石灰，不戴項鍊。恩吉魯沒來。爲恩戈亞的骷髏頭移靈的人是他，缺席令人直呼意外。

昆達夷帖來了，坐在茅屋側門邊。他一聲令下，手電筒熄燈，但瑞佛斯在火光跳躍閃爍之中，仍能看清大家的臉。一陣肅靜籠罩下來，氣氛變得凝重再凝重。昆達夷帖閉眼，開始半張嘴呻吟。瑞佛斯冷眼旁觀著這種催眠的企圖，懷疑這種舉動是眞有作用，或者只是裝神弄鬼。陡然間，昆達夷帖似乎甦醒了。他把三支菸草棍扔進火裡，當成貢品，隨口說幽靈即將從松投過來。沉寂許久。不見動靜。有人說，火邊趴著一條狗，幽靈大概不敢接近。狗聽見有人喊牠的名字，抬頭看一看，確定沒啥好擔心的，嘆氣一聲繼續趴著。另外有人說，白人在場，讓幽靈害怕。

瑞佛斯蹲得腰痠背痛，大腿發麻。昆達夷帖忽然說：「聽，獨木舟。」從圍火的民眾表情看來，大家明顯聽見划槳的水聲，每張臉孔悲喜交集。依美雷開始吟吟哭號著島上婦女的招牌哭聲，但昆達夷帖舉起一手，她立刻止哭。

緊繃的沉寂。接著，有人吹口哨，聲音的來處出奇地難以確認。瑞佛斯逐臉看去，看不出哪一個島民在吹口哨。島民開始呼喚人名。研究過族譜的瑞佛斯耳熟能詳。人人喊著最近去世的親屬名字。有些去世一段時日了。寡婦塔汝呼喚著祖母。接著，有人呼喚翁達的名字，口哨聲再起。瑞佛斯瞧見侯卡特也在左看右看，想認清哨聲的來源。

昆達夷帖翻譯著幽靈的哨聲，村民隨後討論著在場的白人。這兩個白人是誰？爲什麼來這裡？爲什麼想聽幽靈的語言？幽靈反對白人在場嗎？昆達夷帖問。侯卡特僵著嘴皮說：「幽靈如果反對，我們怎麼辦？」「溜之大吉。」

幸好幽靈不反對。翁達以哨聲說他從未見過白人。昆達夷帖指向瑞佛斯與侯卡特。翁達顯然滿意了，不再出聲。昆達夷帖的父親接著顯靈，名字也是昆達夷帖，向他討菸草棍。活人昆達夷帖把剩下的兩支丟進火裡，說：「菸草棍給你，昆達。抽了就走。」恩戈亞的寡母茹培接著發聲，說她來帶恩戈亞去松投。恩戈亞的其他親戚接著來。最後昆達夷帖說，恩戈亞進來了。

現場更加肅靜。瑞佛斯覺得手臂上的毛直豎。寡婦依美雷開始爲亡夫哭號。昆達夷帖說，別哭，他即將前去松投。恩戈亞的母親說，他現在要走了。他一定要吹海螺，前去松投。到了這時候，哨聲盈灌全門廳，聲響爬遍牆壁與地上，有時簡直像一陣漣漪泛過肌膚。寡婦依美雷又開始哭，其他婦女加入。「別哭。」恩戈亞的母親又透過昆達夷帖之口說。「我已來接他去松投。」接著，昆達夷帖說，恩戈亞吹海螺了。全門廳的人，除了瑞佛斯與侯卡特，大家都聽得見。隨後哨聲消退，門廳內只剩婦女的吟吟哭聲。

十年後的瑞佛斯推開熱呼呼的被單，回想著當時幽靈問的問題，其實全是活人想獲得解答的疑問。白人到底來島上做什麼？他們表面善良，眞的不會傷害島民嗎？他們爲什麼想聽幽靈的言語？白人在場，是否可能觸怒幽靈？

在奎葛洛卡，薩松舉棋不定，不知應不應該撤銷抗議、歸建法國，當時一度醒來，發現陣亡同袍站在床邊。後來，他不只一次在風雨中看見人影聚集，問他，他爲何不在前線？他爲何拋棄弟兄不顧？

瑞佛斯心想，見鬼一事並非逃避現實之舉，薩松與島民皆然。這些問題被活人投射至死人之嘴，藉亡魂說出來，反而變得更急切，更有力。

走回帳篷途中，圓形的手電筒燈光在腳邊跟著晃。侯卡特與瑞佛斯在窄徑上並行，肩膀互撞，談論著招靈會的過程。「招靈會」一詞太驢，似乎不適合稱呼那場合，但瑞佛斯想不出更貼切的用語。

「剛才誰在吹口哨？」侯卡特問。

「不知道。」

招靈會感動他的程度遠超出預期。兩人繼續談論著，釐清事件的先後順序，因爲他們當時無法做筆記。接著瑞佛斯說：「恩吉魯不在場。」

「對，我注意到了。」

回到帳篷，侯卡特說：「要不要點油燈？」

「不必了。至少我用不上。我等不及想上床睡覺。」他邊說邊解開皮帶，揉著腰帶下悶出的一環發癢的汗漬，把長褲踹向一邊，躺上床，卻驚呼一聲。他一頭撞上床頭冷冷的硬物。侯卡特拿著手電筒進來，臉色蒼白。壓在枕頭上的是一把斧頭。瑞佛斯拿起來，湊向燈光看，斧柄上的雕刻以本島的標準算是相當細緻。此外，近斧鋒之處有個節瘤，木頭上有缺陷。

「一定是被人留在這裡的，」侯卡特語帶遲疑說。

「呃，對，很明顯是。」

「不對，我的意思是，不小心被人留在這裡。不管是誰，明天一定會回來找。」

「希望不要，」瑞佛斯挖苦地說。「斧頭是恩戈亞的。」

「確定嗎？」

瑞佛斯指向斧柄的節瘤。「對，我記得這個。島民把斧頭擺進石室陪葬的時候，我注意到了。」他撫摸著斧鋒。「恐怕我們問太多尷尬的問題了。有人在警告我們。」

第十五章

一九一八年十月十日

又回到浪板鐵皮茅坑屋了。屋裡雖然乾爽，但在某些方面不比掩蔽坑舒適。歐文設法把西弗里．薩松的相片貼上他的牆壁。在這張相片裡，薩松明顯具有詩人拜倫的風範——我不得不提，這和我印象裡的薩松不是同一個。他在奎葛洛卡時，扛著高爾夫球桿，在大走廊上急行，巴不得趕快出院。我站著看這張相片發愣。轉眼之間，我回到瑞佛斯的辦公室，看著傍晚的太陽在他的眼鏡上反光，他又在裝啞巴了。瑞佛斯的沉默沒有左右他人之意。（我則有。每次都有。）他不是想逼你講你不想講的東西，而是盡力在你的話周圍創造出安全空間，好讓你能在不屁滾尿流的情形下用心思考。白色的網狀窗簾隨著微風飄搖，網球場傳來啪—啪、啪—啪，直到一方漏接，啪聲的韻律才間斷。

歐文以遲疑的口氣說了一句話，我聽不大清楚，大概是「奎葛洛卡老院友」必須團結一心之類的鬼話，以前我每聽必吐。以前在奎葛洛卡，每次我觀察歐文，總覺得他好像心懷某種幻想，把醫院當成他兒時錯過的貴族學校教育。我老想告訴他，歐文，這裡是瘋人院啊，你以為騙得過誰？我現在的想法變了，或許因為奎葛洛卡是共同的吃瘍經驗，經過這幾星期的激盪，我倆的那一段經驗已被洗刷乾淨。喜歡大驚小怪的人可以說，是被血沖乾淨了，而我正是這種人。而且不是流我們自己的血。

在瑞佛斯面前講這種話，會不會又換來他的沉默？我不知道。我以前常想，他的心又飄回他那群該死的獵頭族了。他是眞心喜歡他們，每回一提起他們，整張臉變得神采奕奕，讓他以有點奇怪的角度看待所謂的「當前的衝突」。

我因爲搶救哈磊特回來，上級提名我成爲十字勳章候選人。三年前，我樂得像一條尾巴當兩條搖的狗。反正哈磊特還活著，有沒有獲得動章倒是其次，我最希望有人能當面告訴我，救他回來是對是錯。

十月十一日

今天軍官集合弟兄，當眾宣布一條新軍令：「即刻起，第四軍團禁談任何形式的和平言論。」高級長官其實不需憂心。有些弟兄坐在乾草堆上清理裝備，其中一個拿著報紙朗讀：奧匈帝國垮臺，和平之日將至，諸如此類的。詹肯斯是個乾癟的老黃鼠狼一條（肯定是超齡服役，錯不了），咳一咳，把蓄積四年的痰咳進嘴裡，吐在步槍上，然後繼續擦槍。我想不出比這更中肯的感言。

儘管如此。儘管如此。在某些層面上，我們所有人都認爲，我們也許能安度戰火，或許能平安。現在，槍砲隨時可能停止。說也奇怪，這樣想也無濟於事。

「休息」時，我們照平常的方式度過，洗澡、更衣、打掃、運動、強迫球賽、軍中禮拜。對了，怎能漏掉毒氣演習呢？很多弟兄現在喀喀咳、氣喘咻咻，因爲在戰場上防毒面具戴太慢。有些人也許是故意拖延，以爲能因此被後送。果眞如此，這些弟兄的美夢破滅了，現在依然照表操課，邊動作邊咳咳咳咳。歐文說，要怪就怪他們自己，這句話令我深深惱火。他說他及時戴上防毒面具，所以沒事。我發飆了，不好意思。這裡有權炫耀活過毒氣攻勢的人只有一個，就是在下。

抵達這裡時，我們發現，斯卡伯勒基地又派一隊新兵來。他們目前閒著沒事幹，等著接受歡迎，可惜到目前爲止沒人理。其他弟兄爲何迴避他們，原因很難說，大概是滿腦子戰鬥，無法應付這些臉孔粉嫩無邪的新兵。我記得其中兩三個。有個特別沒用的男生，在克拉倫斯庭園大飯店時是歐文的剋星，來到這裡，端熱湯給指揮官時，不愼灑在指揮官身上。經過這次事件，包括歐文在內的所有人比較能容忍他了。服務生，戰場信號小鼓手。沒人趕他們時，這群人坐著打混，多數人的神情淒迷、哀傷。惶恐。有幾個心腸較硬的男子漢——不折不扣的殺手——大搖大擺走來走去，實際的作用只有一種，比其他人更像黃毛雛鶇。

十月十二日

今天包裹送來了。寄給傷亡弟兄的包裹裡如果有香菸，大家拿出來分，氣氛立刻好轉。行政上的瑣事一堆，忙著把新兵劃入各連編制。填寫表格時，戰場的往事在眼前冒出來。挨我刺刀的那人。令我憂愁是，他是中年人。說也奇怪，令人哀悼惋惜的應該是未來無限好的年輕人。他顯然是應該待在家裡，看著兒女長大，算計著頭髮怎樣梳才能遮禿，嘟噥著啤酒太貴。沒錯，這些東西全寫在他的臉上，一眼就能看出。有些人長得表裡如一。去他的。

在此同時，運動少不了。行軍訓練。把難吃的東西塞進嘴裡，定期定量。現在的麵包含有馬鈴薯。（裡面摻木屑，吃起來別有風味。）

十月十五日

昨晚巡迴康樂隊來了，全營到場，左軍的幾個軍官也應邀前來。十傷馬紹爾也出席了，現在他的官階是代理中校，動不動就鼓掌，樂得像小孩子，一反大家對他的印象。晚會進行到最後，場面感傷一點沒關係，有人唱〈皮卡第玫瑰〉：

皮卡第玫瑰朵朵開
沒有一朵能與君爭艷。

歌喉不錯，歌聲繚繞鐵皮屋和帳篷上空，盤旋在火煙之上。我順著一行人望去，看見豆大的淚珠從馬紹爾臉頰滾落。我羨慕他。

十月十六日

班布立格死了。記得在我們出征前兩天的晚上，他坐在斯卡伯勒市的生蠔吧裡。大家都一肚子火，但班布立格氣到引用自己寫的詩（火氣無人能出其右）。當時他對歐文說，真正的反戰詩應該頌揚戰爭從弟兄身上剝奪的事物——且慢——「貝多芬、波提切利、啤酒、男生。」歐文在桌子下面踹他，我想是爲了我好。白踢了。

昨天又有新兵從英國來。第一波寒流剛到，我被轉到帳篷睡覺，在帆布下嘗到雪雨交錯的滋味，苦不堪言。其實躲在帳篷裡面的時間不多。我們整天行軍訓練、排隊、集合等等的。另外還有毒氣演習。

幸好現在是晚上，弟兄靠著背包坐，或靠在彼此的膝蓋邊，酸痛的腿總算能隨地亂伸。他們寫信給妻子、母親、女友。搞不好，甚至有一兩人寫信給貝多芬那夥人。我說過，我天生也沒有對他們負責的妄想。是眞心話。（「天生」是眞的，也確實是一種「妄想」。）但我不願被認爲我不在乎。在此聲明。我走向最靠近我的那群。威爾森倒了大楣，踩到一根大釘子，貫穿左靴的鞋跟。大家輪流拔，試過鐵錘、鉗子、帳篷釘，想得出來的東西全用上，結果照樣拔不出來。由於腳皮被刺破，他很可能得敗血症，除非我能再幫他找一雙軍靴。找軍靴穿，應該很簡單吧？其實不容易。不幸的是，假如重回戰場，有敗血症之虞的理由不夠充分，他無法被後送，只能耗盡體力，每走一步就多吃一點苦。

在這群弟兄中，歐克沙特原本就有點孤僻，現在變得寡言，接近發神經的地步。（我最清楚了。）問題是，他不是講大話的人，是個稱職的好兵，不比別人更怕步槍、機關槍子彈、炸彈、手榴彈。（至於我們多害怕，還是不問爲妙。）他甚至不拿毒氣來誇口，但難免給人一種愛誇口的印象。他只是怕戴防毒面具。我拿他沒辦法。最近有一兩次，我注意到他在毒氣演習時慢半拍，也留意到自己默默寬恕他。我不應該寬恕他。假如應罰而未罰，其他弟兄會全部有樣學樣。

在他旁邊的人是摩爾，嚴格說來是在他前面。上上星期五，摩爾的妻子在瑰冠的酒吧廳耗掉整晚，陪伴芳心的人是傑克·普得發特。傑克在軍火工廠（和老爸同一間）有一份好工作，週薪五英鎊。摩爾的小姨子生性熱心公益，寫信告知這件事。

黑伍德的小孩得了扁桃腺炎，醫生決定切除，黑伍德則反對動刀，可惜他正在寫的這封信不會及時寄到。

巴克斯頓的夫人正要爲他生第一胎。她似乎不擔憂臨盆一事，先生卻心驚膽戰。他的母親分娩時難產而死，因此相信妻子也會遭遇同樣的命運。

詹肯斯寫情書給妻子，文字熱情洋溢得不得了。夫妻倆結婚好幾年了，但看樣子感情並未退燒。檢查他們的信，我會讀到勃起。和性有關的事我做過不少，沒有一件讓我覺得這麼可恥。事實上，這是唯一一件讓我覺得可恥的事。他肯定知道士兵通信會被檢查，他卻照寫不誤，一頁接一頁。也許他實在非寫不可，慾望強烈到忘記信會被我先讀？在心理上，這種事相當於洗戰鬥澡。我坐在這裡，衣裝整齊，知道我寫給莎拉的信不會被檢查。我猜軍官通信會被抽檢，但至少抽檢是在別的單位進行，讀信的軍官不是天天見面的人。

儘管軍令禁止，大家仍繼續談論和平的事。我們聽見德軍同意和談的那天晚上，我軍臨時舉辦一場盛大的晚會，士兵和軍官都參加，大家一起唱歌。結果隔天，《約翰牛》雜誌來了，巴譚利說，無此事，無此事，無此事，絕無此事。我軍必須苦戰到最後一刻（誰的最後一刻？）我不想再**聽到不必去摧毀德國的鬼話了——我來這一趟，爲的正是毀滅德國……**

但這一次，弟兄們不接受。有幾個上廁所時，居然帶著《約翰牛》進去擦屁股。這裡沒人覺得有必要繼續打下去。

十月十八日

但別人認爲有必要。我們今天拔營，重回前線。

第十六章

十月雨稀哩稀哩落在窗戶上。窗外的文森廣場裡，金黃樹葉被踩進爛泥。瑞佛斯咳夠了，把手帕收好，向病患道歉。

「沒關係啦，」萬茲貝克說。「該向你道歉的人是我。是我傳染給你的。」

「幸好我不能還給你，」瑞佛斯說著擦眼睛。「事實上，你我是這裡唯一不會再被傳染到的兩個。」

「情況變得很糟糕，對不對？我指的是病房裡。我大概幫不上忙吧？」

瑞佛斯面無表情。

「幫忙扶病人。我只覺得太荒謬了，像我長得這麼高壯，竟然閒著沒事做，讓可憐的小護士單獨去扶一個超噸位的病人。」

「你的心意很好，」瑞佛斯謹慎地說，「但我眞的不認爲院方會准許。何況再怎麼說，你也不是『沒事做』。」

沉默。萬茲貝克沒聽出話中的暗示。瑞佛斯強迫自己打開肩膀，心知自己緊繃的姿勢連帶影響到萬茲貝克。只不過，假使沒有這份緊繃情緒的鞭策，離康復仍有一大段路的他無法度過漫長的一天。「你最近怎樣？」

「臭味不見了。」想笑的表情一閃而逝。「我知道臭味本來就不存在，不過終於能擺脫它，我還是很高興。」

「嗯，好。」比臭味消失更讓瑞佛斯欣喜的是自嘲的意味。精神病患臉上絕不會出現這種神情。「什麼時候發現的？」

「只是漸漸消失。我猜是上星期三前後吧。我突然發現，我已經不擔心臭味了。」

「夢呢？」

「不是夢。」

「好吧，靈異現象。」

「呃，還是滿常見的。」

「你有沒有哪個晚上沒見到？」

淺淺一笑。「你是說，他有沒有哪個晚上沒來？每晚都來。」

久久不語。瑞佛斯說：「談論……信念，很困難吧？」

「會嗎？」

「我覺得很困難。」

萬茲貝克微笑。「你太誠實了。」

「我想問你相不相信死後的世界。」

嘟噥一聲，隨即沉默。

確實很難，瑞佛斯心想。若提到愛迪斯敦島上的禁忌話題，瑞佛斯可以列出一大串，但在自己的社會裡，他覺得近年來禁忌的變遷相當大。現在，探問別人的隱私與信念時，前者幾乎比後者更容易啓齒。如果是戰前……切記，不能凡事歸咎於這場戰爭。這種轉變早在戰前就已經開始。

「不信。」萬茲貝克終於說。

「你一定思考過吧。」

「對，嗯，我以前是相信。從小被灌輸的觀念。人大概不喜歡承認自己喪失信念了吧。」

「什麼因素改變你的觀念？」

眉毛揚一揚。瑞佛斯等著。

「屍體。尤其是在土地被凍結、沒辦法埋葬的天氣。在無人地帶的夏天也是。蒼蠅嗡嗡飛。」

一團烏雲似的蒼蠅從恩戈亞的遺體升起。

「屍體不會產生那種效應吧？牧師不是常在辦公桌上擺一顆骷髏頭模型嗎？因爲模型能提醒牧師，讓信念常駐心頭。」

或讓人聯想起恩吉魯。他發臭，他腐敗，未久他去松投。隨興、簡單陳述事實。

「對我的確有這種效應啊。我想相信。我想相信死後有救贖的機會——你說得對，的確很尷尬。」

沉默。

「總之，」瑞佛斯認為他不會再補充說明，才繼續說：「你不相信那個幽靈是你擊斃的人？你不相信是他化的鬼？」

「對，只不過，即使我仍是基督徒，我也不太相信是他化的鬼。」

「不然是什麼？」

「是我個人意識的投影。」

「反映你的罪惡感？」

「不對。我哪需要幽靈來反映罪惡感？我坐在這裡，就能感受罪惡感了。我認為是……」重重嘆一口氣。「罪惡感是一個客觀事實，不是一種感覺。不是……唉，我本來想說，罪惡感不是主觀的事實，可是，當然是主觀囉，不然是什麼？」

「對你來說，代表的是你信奉的一套外在準則？」

「對。」

「它講哪一國語言？」

目光茫然。「不講。它不會講話。」

「假如它開口，它會講哪一國話？對，我知道這問題有違常理，不過，幽靈本身也不是理性的產物。它講的是哪一國——？」

「英文。肯定是。」

「那你爲什麼不跟它對話？」

「它只出現一秒。」

「跟你原本的敘述不符。你本來說，它待了好久好久。」

「對，是感覺好久好久的一秒。」

「既然如此，你能講的話應該很多吧。」

「把畢生的事跡全講給它聽？」

瑞佛斯柔聲說：「它知道你畢生的事跡。」

萬茲貝克沉思著。「好吧。要我講，我就講，不過我覺得驢到沒力。」

「你打算怎麼講？」

「我完全沒概念。」

萬茲貝克走後，瑞佛斯默默坐了幾分鐘，然後才在檔案裡加註。瑞佛斯輔導萬茲貝克的過程中，腦子裡縈繞著薩松的身影。薩松也夢見過幽靈，見到它們聚集床邊，質問他爲何不在法國戰場。縈繞瑞佛斯腦海的另一人是他在奎葛洛卡的病患哈靈頓。即使以奎葛洛卡的標準，他的惡夢也顯得驚心動魄，而且他的惡夢延續至半醒的階段，因此具有入眠期幻覺的特點。哈靈頓看見身首異處的殘肢從黑暗中飛向他，另一種版本的景象是一張人臉俯瞰著他，唇、鼻、眼瞼被蠶食，彷佛罹患痲瘋病。他隱約能辨認那張殘缺的臉，認出他是一位好友。在現實的戰場上，哈靈頓親眼目睹他被炸得粉身碎骨。哈靈頓從惡夢驚醒時，不是嘔吐，就是尿床，或兩者一起來。

在哈靈頓目睹好友慘死之前，他已有頭疼、複視、噁心、嘔吐、排尿失調、健忘、雙手狂顫等症狀，病因是兩月前在砲擊中遭活埋。儘管身心症狀一堆，他仍繼續服役（瑞佛斯暗罵，應該把醫官拖出去槍斃），直到好友慘死促成他徹底崩潰為止。

以哈靈頓的病情而言，一般的療法是誘導病患詳述夢魘的細節，好讓恐怖夢境的象徵意義變得大於實際，降低惡夢與現實的關聯，病患從此踏上康復之道。但哈靈頓這病例產生一種值得一提的現象。哈靈頓夢見，好友的屍首開始恢復原狀，每過一夜，被蠶食的五官肌膚就多復原一些。而且哈靈頓也能在夢中與他交談。據說聊了很久，或者是醒來之後覺得很久。他對好友訴說瑞佛斯的事，提起他在奎葛洛卡的住院生活，提起他正接受的治療……

這種漸進式的夢延續幾星期之後，他有天醒來，發現好友被炸死之後一小時的記憶恢復了。砲擊之後，他儘管心靈受重創，儘管砲火猛烈，他仍在陳屍處爬行，在殘缺的遺體之間撿拾裝備——腰帶、左輪、帽子、領章，準備將遺物寄給好友的母親。簡言之，哈靈頓非但沒有逃離現場，反而表現過人的勇氣與義氣。哈靈頓得知這一點，大大恢復了自尊心，因爲他與奎葛洛卡多數病患一樣，深受恥辱與無能的折磨。想起自己的英勇事跡之後，他的改善神速，但他與陣亡好友的對話持續，直到有天早上，他醒來大哭，發現傷心的不僅僅是慟失好友，也爲了摯友無福享受的年華而惋惜。

萬茲貝克的困境比上述兩病例更艱難。西弗里一同意撤回抗議並歸建，幽靈立刻消失，因爲夜鬼代表的外力要求——西弗里自信這些要求很合理——已獲得滿足。哈靈頓重拾砲火中的記憶，發現當時行爲比個人的印象來得高尚，病況因此獲得長足的進步，改善之劇烈，瑞佛斯從醫以來少見。萬茲貝克無緣追隨這兩個病例。他在戰場上的行爲一直光明磊落，後來做出一種自己不容許、法律不容許的舉動，才認定自己是罪犯。旁人想盡辦法安慰他，勸說的言語若非全然漠視他的罪行，便是以別種方式侮辱到他，萬茲貝克一聽便知。情操比他低一分的人會比較好受。

瑞佛斯懷疑，在輔導萬茲貝克的過程裡，薩松與哈靈頓的病例會不會占據了他太多心思？果眞如此，最理想的情況是，醫師變成導體，將舊病患自療成功的切身經驗輸送給新病患。最壞的情況是，醫師不夠專心，無法全神聆聽新病患的語義。他認爲，眞正的危機是，聽到最後，所有敘事將融合爲一體，所有心聲將混合爲單一的哀嚎。

此外，他也累了。由於流行性感冒肆虐，這四十八小時以來，他已値班三十個鐘頭，而且今晚又要値班。他一面嘆息，一面伸手取來一份紙袋，抽出裡面的X光片，夾在燈箱上。

一顆骷髏頭瞪著他看。瑞佛斯後退一步，研究片刻，眼鏡一邊被燈箱照亮，另一邊映出十一月下午的陰雨天。接著，他取出筆記。

馬修·哈磊特少尉，現年二十，於十月十八日入院，頭與下顎分別受槍傷。傷患到院時無法敘述受傷經過，隨身訊息只有一張小卡片，說明他在九月三十日受傷。

這麼說來，他已受傷二十天。

一顆步槍子彈射入右內耳廓的左邊，從左耳與頭接縫處的上方貫穿而出。射入傷已完全痊癒，留下一小點疤痕。出口傷在頭皮形成大片不規則的開口，腦疝從傷口暴露並化膿脈動。

天啊。

目前為止，傷患未曾主動言語。當有人正對著他講話時，他有回應，但口齒不清。從傷患的下顎傷勢難以判斷腦傷是否影響語言能力，亦難分辨溝通困難的主因或全因是肉體機能的障礙。然而，傷患對語言稍具理解能力，能照指示以未癱瘓的一隻手回應簡單的問題。

在瑞佛斯的意識邊境，柔柔的雨聲持續，似乎將醫院隔絕於漸暗的傍晚天色之外。清早開始下雨，到現在片刻不見間斷，天色昏沉沉的，更令人難以保持清醒。他摘下眼鏡，揉揉眼，轉向窗戶，見到天色在每顆雨珠形成一彎新月。

「你覺得會停嗎？」侯卡特在陰暗的帳篷裡說，翻來覆去。

自從枕頭上出現恩戈亞的斧頭之後，雨一直不停，不是懂得分寸的英國雨，而是滂沱大雨，嘩啦下著，咕嚕流進帳篷，再怎麼努力擋水也沒用。笨蛋才會待在帳篷裡吧？其實不然。尿急時，衝出帳篷進樹叢不過五碼，回來時頭髮泡湯，上衣透明貼胸，能往哪裡逃？

瑞佛斯與侯卡特躺在帳篷裡，門開著，雨水如實心的一堵牆，連不太遠的樹也模糊不明，只見藍藍的樹影被颮得東晃西擺，陣風暴風來得突然又惡毒。帳篷頂積水向下凹，侯卡特看不過去，對著凹陷處踹幾腳，帳篷頂因此多了幾個泥腳印，為原本就髒臭的環境增添陰霾。兩具濕熱的肉體，頭髮天天洗但只用海水，鹽巴在表皮形成一層白垢。唯一的逃避方式是跳海，全身泡水才可擺脫濕淋淋之苦。

下到第四天，雨勢稍微緩和了。瑞佛斯走出帳篷，站在空地上，看見恩吉魯從小路走過來，這次終於不帶隨從。

要不要提斧頭一事？瑞佛斯考慮過，原本決定不提，但他一見恩吉魯便知，有必要攤開事情講清楚。

「俗於你？」瑞佛斯遞斧頭。

「俗於恩戈亞。」恩吉魯微笑說。

恩吉魯接下斧頭，放進單肩挑的網籃裡。恩吉魯的斧頭擺在裡面，瑞佛斯聽見兩斧撞擊聲。瑞佛斯心想，此時不宜輕舉妄動。在整座群島中，不帶槍的白人，除了傳教士——部分傳教士——之外，可能只有他與侯卡特兩個。島上的樹叢濃密，隨身帶開山刀有其實用性，但他們連刀也不帶，因為不願被島民誤解為武器。此外，他們也隨俗，跟著島民一起打赤腳。「無害」是他們的自保之道，雖然無法保證能自保成功，但佩槍絕對會讓此行處處碰壁。

恩吉魯說，島上最古老的髑髏屋之一正在整修，他要去為祭司進行淨身禱告，想約瑞佛斯一起去。當然去，那還用問嗎？

出發後，恩吉魯中途說，髑髏屋重建，一定會下雨，因為「托馬帖他總喜歡洗長淡水」。不久，小徑變窄，天氣濕熱，無法再聊。瑞佛斯看著他的背後，見到背肌在油膩的皮膚下運作，不只一次納悶，恩吉魯身受多少痛苦。在許多方面，恩吉魯是一團謎，也可能在短期之內無解。謎團之一是，族人對終身禁慾的觀念全然陌生，他卻至今未婚，是因為天生畸形，使得女孩或父母認為他條件太差嗎？但以本島的環境而言，他既富裕又有權勢。是他自己對婚姻無感嗎？另外，殘障的他得知爺爺貴為大酋長侯牧，顯赫身世對幼小的心靈有何衝擊？瑞佛斯暗笑著心想，和我相形之下，他比較可憐。我不過是擊斃納爾遜殺手的英雄的堂侄孫。

這些疑問全求不出解答。並不只因言語有隔閡，也因為雙方的許多概念沒有交集。島民似乎對西方世界所謂的「個性」毫無概念，更談不上養成自省的習慣。恩吉魯是島上權力最高的人之一，權力也許無人能及。對瑞佛斯與侯卡特而言，明顯可見的是，恩吉魯有今天的地位，主要是他的智力、精力、毅力出眾。然而，他們請島民解釋恩吉魯權勢來自哪裡時，島民卻不曾提及這些特質。島民說，原因只有一個，就是他掌控的神靈數目多。他「認識」馬帖阿納。最重要的是他「認識」阿委。島民最早告訴他的一句話是：恩吉魯認識阿委。他當時不明白此言的涵義，也許至今仍不完全清楚。

聽著兩斧相撞的叩叩聲，瑞佛斯思索著，恩吉魯的態度為何出現急轉彎？瑞佛斯憑理性認定，把恩戈亞的斧頭放進帳篷的人是恩吉魯。瑞佛斯把斧頭遞給他時，他甚至不佯裝驚訝，還特地過來邀請瑞佛斯，表現得既熱心助人又合作，請他出席一場重要的儀式。話說回來，恩吉魯就像這樣，一會兒打死不肯開口，甚至命令其他島民保密，有時候自己卻儼然全島資訊最神通的一個，甚至有時陪伴在瑞佛斯與侯卡特身邊，確定他們明瞭儀式的大小細節，確定他們完全聽得懂祈禱詞的每一個字。

言行前後矛盾，或許映照出恩吉魯對自身能力的懷疑。雖然其他人對他的能力信服，他卻能夠向後退一步，自問以下難解的疑問：他既然能控制神靈，既然儀式有他所說的那麼靈驗，為何白人還在島上？「白人」指的不是瑞佛斯與侯卡特，因為他敬愛這兩人。「白人」指的是不顧習俗、禁止島民獵頭的政府、詐騙島民的貿易商、剝削島民的農場老闆，最主要的是毀滅島民信仰的傳教士。既然連這些壞事都無法阻止，你空有滿腦子知識，又有什麼實際用途？

因此，恩吉魯的態度搖擺不定，時而嚴守自身的知識，時而每問必答，時而回答得傲氣橫秋，怒怨交錯，時而幾乎對瑞佛斯懷有感激之心，畢竟瑞佛斯聽得津津有味，似乎證實他的知識的確有價值。然而，他一想到自己哪需要這方面的肯定，立即覺得可恥，態度急轉直下。

由此觀之，從恩吉魯的立場而言，兩人的關係令他莫衷一是，但雙方對彼此的敬意深沉。瑞佛斯心想，他不會殺我。接著又想到，其實，在某些狀況下，他確實會殺我。

走在沿海步道上，他們來到轉進內陸的小徑，這時太陽轉至最高點，汗水從瑞佛斯的鼻尖滴落，時時惹得他煩躁難安，下體氾濫成沼澤。他被酷熱的白光照得眩目，想直奔樹下的黑影，奈何一走進樹下，會叮人的昆蟲紛紛附著在汗水上，趕也趕不走。

霎時間，他們來到一片樹林間的空地，尖銳的光束從樹梢斜射進來，前方的陡坡上有六、七間髑髏屋，柵欄上垂掛一串串貝殼裝飾品。骷顱頭總給人一種被監視的感受。突如其來的日光照得他睜不開眼睛，他跟隨恩吉魯走上斜坡，走向一團虯結的陰影，這時其中一個影子動起來，轉變成納雷隄的身形。納雷隄是失明的葬儀祭司，兩眼失明，蹲著，手肘與膝蓋尖突，眼角流出兩道蝸牛黏液似的膿。

最遠的一間髑髏屋正在整修，裡面的骷顱頭被搬出來，排在地上，一眼看去，宛如空地上鋪著骷髗頭。瑞佛斯不確定祭司准不准他接近，因此裹足不前，這時突然颳起一陣強風，樹木隨之動搖，串串祭祀用的貝殼也跟著相互敲擊。

恩吉魯示意瑞佛斯跟上。沒有進一步的預備動作，恩吉魯開始進行淨身禱告，拿葉子爲納雷隈揉腿，從臀部擦至腳踝。

「我在蒙度大溪淨身。蒙度向下流，蒙度向上流，洗盡亡酋之毒水。茅屋有毒，椽有毒，藤蔓有毒，地面有毒……」

排在地面上的骷髗頭裡面，有幾顆是兒童的頭顱。是受人疼惜、哀悼的兒童嗎？或是被人從伊沙貝爾島與舒瓦瑟爾島擄回來獻祭的兒童？

「讓我淨化此祭司。讓他下來屈身而過。讓他下來跨越而過。讓他不委靡消瘦，讓他不染紅疹，讓他不發癢。讓他成爲海中鰹魚，成爲海中之豚，成爲淡水之鰻，成爲淡水小龍蝦，成爲淡水瓦培。我會同所有酋長淨化、淨化、淨化。」

恩吉魯的嗓音原本激昂，祈禱到最後幾字時降低頻率。

在美拉尼西亞，儀式一完畢，切換回日常生活，轉變總是來得突然。不久後，恩吉魯與納雷隈談笑風生，然後叫瑞佛斯跟過來。一條短路通往納雷隈的茅屋，有人蹲在塵土地上，臉上有午餐的殘渣，一條狗正在舔他的臉。這人是勒姆布從伊沙貝爾島帶回來的小男童。健健康康，飲食正常。瑞佛斯見他身上沒有瘀傷，近看得知他並不快樂，但快樂畢竟是強求。瑞佛斯觀察他幾分鐘。至少他交了一個狗朋友。

恩吉魯說，他是來這裡輔助納雷隄的。等他長大，葬儀祭司的職位將傳給他。終其一生照料外族人的骷顱頭，這種命運何其怪誕，但至少他有生活可過，也許日後的生活不賴，因爲葬儀祭司是富貴階級，而且受人敬重。恩吉魯解釋，即使在獵首級的時代，俘虜幼童也是一種習俗。恩吉魯這時屬於暢言無阻的階段。至外地突襲，有時帶回來的「首級」是活的，暫時養著，以供不時之需，可以說是一種活人頭儲藏室。這種俘虜從不受虐待——島民對刻意殘酷的觀念感到陌生。有些俘虜也常爬升至富貴的地位，只不過他們心裡時時刻刻明瞭，島民隨時可能向他們索頭。

回程穿越空地時，恩吉魯停下來，從中間一行的骷顱頭，挑選居中的一顆，遞給瑞佛斯。

「侯牧。」

瑞佛斯接下頭顱，明白恩吉魯的舉動賦予他莫大的榮耀，因此急忙尋找回應語，斟酌這種場合該用什麼單字，手指順著枕部撫摸，沿著顱骨接縫遊走。他記得在巴茲醫院，第一次雙手捧人腦，對其重量嘖嘖稱奇。物種進化至今，有能力理解自身來源的物體僅有一個，原本包含在這顆空殼裡。但對於恩吉魯而言，這顆頭顱之所以神聖，也不只因頭顱本身代表的意義，也因爲裡面曾含有靈魂，含有托馬帖。

他望著恩吉魯，心知不需多言。他把骷顱還給恩吉魯，頭微微一擺，一時之間，兩人同時捧骷顱，四手交握，碰著世界上最寶貴的物體。

子彈射向顳葉，導致左眼重傷，左瞳孔靜止，眼角膜無感，眼瞼下垂，眼珠只剩向下的動作。失明的原因是脈絡膜破裂，以及視覺神經萎縮。是的。右腳踝關節常抽筋……沒錯。

瑞佛斯熄滅燈箱，把筆記放回檔案裡，向封面瞄一眼，留意到哈磊特隸屬第二曼徹斯特軍團。這位傷患認識比利．普萊爾嗎？認識的話，日後有無印象？瑞佛斯想知道。

第十七章

一九一八年十月十九日

整天行軍，走過徹底殘破的地貌，死馬，隨地擺放的人屍，腐臭薰天。有時候，看見這幅景象，砲彈坑、發臭的泥巴、死水、樹木看似燒過的火柴，讓人以爲這片焦土永無復原之日。這片土地中毒了。毒藥來自腐敗的人屍、馬屍、毒氣，一滴滴滲進土地。土地當然會復原。五十年之後，農夫犁田時，將掘出骷髏頭。

一隻大烏鴉飛過我們頭上，振翅的模樣與嘎嘎叫聲有感傷的味道。見一隻是哀愁。等到弟兄再見到一隻，他們才得以休息。

到時才能等到歡樂。

露天死屍雖非行軍良伴，卻帶來一個好結果。威爾森有靴子可換了。回收這隻靴子可不輕鬆，必須先清除前任主人留下的痕跡（以及殘骸），然後才合用。他看起來快樂不少。

大致上，弟兄走得心情非常愉悅，單縱列蜿蜒高歌，漫長的人龍不辭辛勞邁進。（路還長得很吶！）我不知不覺想起隆士達夫。他才死三個星期，卻鮮少掠過我的腦海。汰特街住著一對老夫婦，與碧蒂的店面相隔三戶。老夫妻已經結婚五十多年，人人以爲如果其中一人先走，另一個會傷心得爬不起來。然而，老公去世之後，老婆婆似乎不怎麼難過，而且喪禮一過，幾乎從不提起老伴的事。儘管這裡的年輕人活力充沛——天啊，連我有時也受不了——我們的處境其實跟老婆婆差不多。我們太靠近死神了，懶得大驚小怪。哀傷能省則省。

稍後

士兵在野地紮營露宿，但軍官有掩蔽壕可睡。德軍挖了四通八達的一套戰壕，這座掩蔽壕是殘存的一部分。掩蔽壕被木板封住了，但木板裡面是深不可測的隧道，一眼湊向縫隙往黑黝黝的裡面望，不一會兒，眼球會被冷風凍痛。特別的是，大家都對這些隧道有點緊張。在我寫日記的當兒，外面的槍聲隆隆，閃光照亮天空，他們不太在乎槍砲，反而更怕隧道。而且，這種恐懼不是理性的恐懼。這種恐懼與彩衣吹笛手的故事有關——吹笛手把一群兒童帶上深山，一去不回。這也像小說《李伯大夢》，主角最後是走出深山了，卻發現時光已飛逝多年，沒人認得他。很有趣，呃，至少我覺得有趣，畢竟我們周遭盡是二十世紀最凶險的武器：砲彈、左輪、步槍、大砲、毒氣，非理性的恐懼居然被區區幾條隧道觸發。我想，因爲隧道撥動了某條心弦吧。現實生活中，確實有兒童上山一去不回。我們全休假回家過，發現家變得好陌生，我們變得格格不入。戰後又會是怎樣的風景呢？也許，最好別往戰後去思考。別玩命。何況，晚餐上桌了。我好餓。

十月二十日

又是大長征行軍。催趕落後的士兵，這種任務多討厭啊。甭談什麼領導統御術了。現在應該拋開領導統御，開始欺侮士兵。我聽見自己囉唆著，趕著他們，聲音像埃塔普勒基地的那些該死的教官。不同的是，至少我逼其他人做的事，我自己也正在身體力行。

我轉向一個落後的兵，張大嘴巴，正想對他吼叫，這時看見他的臉。他有氣喘病，表情緊繃、蒼白、拉長臉、憂愁，本身有氣喘病的人一眼就明瞭。這個兵等於是隨身舉標語說，我有氣喘病。我放慢腳步，走在他身旁，想跟他交談，但他無法邊行軍邊講話。他的動作哪談得上是行軍？比較像爬行吧。氣喘病就有這種奧妙，能瞬間搭起相知相惜的橋樑，這在一般人之間是少有的現象。我把他送上救護馬車，把他固定好，然後握握他的手腕道再見。他看得見我走嗎？我很懷疑。氣喘嚴重到那種程度，病人只顧著喘下一口氣，哪管得著其他事。

怪事是，我一看見他的臉，自己的胸腔馬上跟著緊繃，只因爲聯想到自己的命運吧，我猜。目前爲止，還沒出過毛病，趕快摸摸木頭規避厄運。不過，我今晚是有點喘。

走到下午過半，歌聲轉爲凌亂，很多弟兄不開口，行軍成了耐力考驗。就這樣，半睡半醒行軍，突然間——感覺是很突然——我們發現兩旁冒出綠色原野，農舍有屋頂，樹木有枝椏，也看得見老百姓。原來，我們一舉穿越戰場了，走進德軍以前穩穩盤踞的地帶。婦女。兒童。狗。貓。這世界竟然有這些生物在裡面，我想我們全看得目瞪口呆吧。大家見女孩就吹指哨，而且不太挑剔。「女孩」一詞的定義從十四歲延伸到五十。

我在農舍裡的廚房桌上寫這則日記。外面是院子，充滿尋常的牲口聲。嘎嘎叫的鵝是人間奇蹟。不過，我們很快又會上路。歐文正好通法語，所以他們在隔壁訊問老百姓。在這張桌上，直到幾星期前，德國軍官也坐在桌前寫家書。

十月二十二日

仍待在原地，但再待也待不久了。明晚再前進。池塘裡有當家的鴨子和湊熱鬧的紅松雞，豪雨打亂池塘水面。連豪雨也打不散我心湖的寧靜。雖然濕氣重，我的胸口輕鬆多了。

十月二十四日

繼續行軍。照這種速度走，我能想見大家走進柏林。昨晚，最靠近的村落遭砲擊，五個平民被炸死。不把平民當人看待，是從什麼時候開始的事？滿久以前吧，我想。再怎麼說，消息傳來，也沒有一個人痛心疾首。這一帶的人倒是很和氣，和我們相處融洽。只有一絲絲警惕吧，我猜。他們痛恨被德軍入侵，沒人質疑這一點，但德軍占領這裡很久了，村民和德軍已培養出相安無事的默契。況且，曾經駐紮這裡的德軍似乎非常重視紀律。沒有燒殺擄掠。儘管被凶猛、淫亂的匈奴壓制四年，莊重的小村姑確實非常莊重。反觀這裡的砲彈坑，果園、原野、道路坑坑洞洞的，一個個像血盆大傷口，全是我軍槍砲轟出來的。我軍的砲擊幾度非常猛烈。有些兒童一見我們就逃。話雖這麼說，到處有村民張開雙臂迎接我們。

仍沒辦法適應平常的聲響，特別是婦女和兒童的講話聲。剛出獄的人想必也有這種感受。

十月二十五日

歐文快被軍法審判了。主要是因爲他的法文講得比大家流利，村姑各個對他投懷送抱，不是口頭感謝他就算了，還實際對他獻吻。他和村姑互動時，我和他的視線相接，我似乎偵測到他以目光回答疑問。帶有嘲諷的意思吧，管他的。總而言之，欠吻大軍被他氣炸了，所以召開一場中尉法庭。拂曉槍斃他，我也不意外。

威耶特溜出去村子的近郊，拜訪一個農家，裡面住著一位好客的寡婦，幾個女兒同樣好客，但比寡母更適婚。在我寫日記的此刻，他的小鳥八成啄著德軍眾鳥啄過的地方。（他一定感受不到我這份亢奮的震顫，相信我。）

話說今天早上，我在村裡看見一個女人，太陽光照在她的頭髮上，她捧著一條長長的法國麵包，一剎那散發的情慾比威耶特的床上運動更令人血脈僨張。我太超過了，當然。人家是出門購物的莊重賢淑主婦。

十月二十六日

今早，我去附近一座農場解決紮營的問題，因爲農場的女主人指控C連士兵偷雞蛋。士兵矢口否認，但我相信她。我安撫她的情緒，以超出雞蛋市價的金額賠償她，之後我留意到，有個紅髮男孩盯著我看。不算是盯著看，但他的視線和我相接時，逗留的時間久了一點。我猜他大約十六歲。也許再大一兩歲。他正提著一桶餿水，噹噹穿越院子。我向夫人（我猜是他的母親）告辭過後，尾隨他走進漆黑的屎臭之中，鼻吸聲、咀嚼聲從四面八方傳來，濕顫顫的豬鼻四處鑽翻，踩著粉紅色的嫩腳走向男孩。他倒完餿水後，豬吱吱叫、呼呼吃了一會兒，然後抬頭，靜靜看著我們，嘴巴嚼著豬食，白睫毛纖長。我搔搔豬背，試著和他交談。磚牆有裂縫，透入小塊小塊的日光，腳下是濕臭發青的東西。他講得很快，我聽不太懂，課堂學到的法文根本沒用。我儘量拖延時間，繼續搔豬背，然後走開，懷疑四目相接的那一刻是不是自己多心了。

他並沒有特別吸引人的特點——死人似的白皮膚，形狀不規則的雀斑，金褐色眼珠異常單調。不出色，也礙不到我。憋了兩個月沒搞，我連豬也上。

後來，我在教堂附近又遇見他。有條小路通過教堂院子，一邊是矮石牆，另一邊是運河。這一帶運河交錯。這一條運河的水色混濁，無精打采地映照出白光強烈的天空，黃葉子懶懶掛在河岸的垂柳上。他坐著，紅色大手握在膝蓋之間，指關節破皮。紅髮在灰灰的光線裡閃耀，不是鮮紅，不是赭紅，而是燒焦似的單調黑紅色。

他徘徊逗留的意思非常明顯。他以微笑迎接我，拍拍自己的嘴巴，比畫抽菸的動作。我給他一支忍冬菸，在運河邊站著，和他相隔幾呎，左看右看，確定閒人看不見。他又比抽菸的手勢，指向我手裡的這包香菸，見我沒有立即回應，他再指一次，這次講德文。我心想，我的天，你一頭掉進他媽的餿水桶了嗎？不知道目前哪一軍當家？我應該憤慨才對吧。我非但沒有反感，反而願意掏出全身所有香菸送他。我把自己的一包菸遞給他，他站起來，帶我進樹林，找了幾分鐘，才找到一個夠隱蔽的地方。我以手勢表示我要的東西。他面向樹幹，以雙手撐著。我剝掉他的長褲和內褲，鼻子和舌頭開始往他的屁股周圍探，輕咬著股溝想進去，因爲這種體位讓肌肉緊繃。先是一股菊花浸泡過久的氣味，隨後是更濃更友善的氣息，唾液濕潤的端莊、皺縮孔閃著亮光，隔著緊實的法國括約肌，裡面是德軍精液。德軍早已撤退，所以只是比喻的說法，但德軍確實曾在裡面流竄過。在戰壕裡，以前常用潛望鏡觀察到他們的身影。現在我的舌頭伸向他們。我心想，

萬眾皆入我胸懷，

此吻獻給普天下……

（譯註：出自貝多芬《歡樂頌》）

我突然覺得滑稽，噗哧一聲，在他的股溝製造出放屁聲，他想掙脫，被我拉住。我操完他，把他翻身過來，以口解決他那根紫通通的粗短小屌。

然後我們分手。我發神經，不停舔嘴唇，以爲會舔到瘡，舔個不停。

十月二十七日

幾天行軍下來，大家都喊吃不消。我費了很多時間檢查士兵的腳。有些弟兄的水泡大得像雞

蛋。也檢查自己的腳。今天早上，腳的狀況不好，現在變得非常不好。

所幸，今晚紮營在像樣的地方。我的床位在貼著玫瑰壁紙的房間裡，花園裡也殘留幾朵。我出去採花，插在廚房桌上的碗裡，追憶亞眠。大朵大朵的玫瑰開得蓬散，年華已逝，幸好我們今天又得上路，我不會看見花瓣凋零。

十月二十九日

在夜色的掩護下，我們抵達此地。村子災情慘重，村民沒笑臉，神情木然。不意外，因爲不久前把村子炸得雞飛狗跳的正是我們。

謠傳奧地利已經簽署和平協議，弟兄耳聞後歡呼叫好。看看他們的腳丫就知道，振奮一下也好。這裡沒人能理解戰事照樣繼續的道理。

昨晚，我躺在床上，聽著弟兄在穀倉唱歌。我有一種預感，他們即將淪爲附帶條款和細則的犧牲品。但願我的預感錯誤。不過，我認爲確有其事。

十月三十一日，星期四

我們將在這裡駐紮一段時間。這裡有一條塞柏運河，德軍在對岸鎮守，似乎準備抵抗我軍。

這座村子仍有居民，但接近敵區的民房已全部撤離，我們正躲在其中一間的地窖，偶爾溜上樓，進家具完整的房廳，感覺像老鼠，然後匆匆鑽回地洞。幸好地窖溫暖，而且感覺很安全，只不過炸彈衝擊力會震動整棟屋子。假如炸彈正中這棟房子，後果不堪設想。德軍砍掉地面的所有樹木，但樹下的刺莓叢生，路過時容易勾腿。蕨類植物枯死了，色調和莎拉的頭髮一模一樣——或和她頭髮的顏色之一相同。運動、演習、或任何活動，一概行不通。我們白天深居，晚上巡邏，因爲德軍當然在運河的這一岸布下機關，我軍進攻時如果誤踩，等於向德軍發出預警。清除這些機關很麻煩，因爲不能出聲，換言之，只能用刀子和圓頭棒。

十一月一日

昨晚輪到我出去清除機關。「掃蕩」掉一個陷阱。希望是最後一個。我們匍匐到運河的水邊，趴著觀察對岸。星光還算亮，隱約看得見東西。強烈感覺德軍守在對岸，和我們一樣監視著黑夜，不出聲，提高警覺。我意識到，在對岸的某處，有一對眼睛正瞪著我的眼睛看。

運河比周圍的原野高約四呎，兩岸有排水溝渠（德軍放水淹沒排水溝，非常明智）。河面寬四十呎，寬到無法輕易架橋通行，窄到無法成功轟敵。炸彈如果飛到半路落地，會傷到自己人，因此必須預設安全距離，而這裡的安全距離不夠，因此士兵和裝備必須遠離河岸。換言之，砲擊一停止，揮軍挺進三百碼，跨越濕地、排水溝，五分鐘之後才可抵達我方的河岸，讓敵軍好整以暇，瞄準我軍——只不過，若依照我方的沙盤推演，這時敵軍早已被炸光。

對岸的原野也已氾濫一部分，而且雨依舊下不停。不只是雨，德軍也淹沒了彼岸的排水溝。對岸有一座陡坡，上面是拉默特農場，是我軍的攻擊標的物。一路攻上去。一丁點掩蔽物也沒有。每一叢草後面都躲著機關槍手。

從這裡觀察地物，即使是在半暗的環境裡觀察，難題也變得明顯而嚇人。我們每天埋首研究地圖，對環境瞭若指掌，實地觀察卻加倍明瞭。預想情況有兩種。狀況一，猛烈轟炸對岸，機關槍手被炸得片甲不留，同時也會炸毀排水溝，甚至可能把運河炸得潰堤，對岸的平地會氾濫成十呎深的泥坑，寸步難行，和帕宣岱爾之役碰到的情況一樣糟糕。狀況二，我軍砲火點到為止，砲兵趕緊挺進，等候步兵跟上，但如果敵軍機關槍手逃過一劫，絕對會安穩躲著，享受密集式打靶練習。

是走帕宣岱爾路線，或依照索姆河的戰術？二選一。雖然遠不及上述兩場戰役的規模，但這樣講並不會帶來多少慰藉。一人中一槍就玩不下去了。

上級決定走索姆河路線。今天下午，我們會同左邊的蘭開夏燧發槍團，向長官做簡報。十傷馬紹爾也來了，我對他直言不諱的態度滿驚訝的，但繼而想想，像他這樣的軍官，身上掛滿戰傷勳帶和動章，簡直像特立獨行的迷彩裝，當然有膽直言不諱。馬紹爾說，敵軍機關槍手若逃過砲擊，守在陡坡上，他的弟兄缺乏掩蔽物，衝上去鐵定是送死。在空曠的河面架橋，恐引來敵火，萬萬不可行。整套計畫是癡人說夢。戰勝的機率是零。

沒人跟他爭論。我是說，沒人發言討論。長官只是輕描淡寫，發表一套簡單、無事實依據的主張：憑我軍砲擊的威力，勢必能克服所有敵火。大家聽見這句話，我猜人人都憶起索姆河之役，脊背頓時涼颼颼。馬紹爾扔下鉛筆，雙手插胸坐著，全程再也不吭聲。

就這樣，大家坐在這裡寫信。文具拖了好久，遲遲不來，因爲德軍撤退時阻路炸橋。六個星期以來，沒人進過一間像樣的商店，於是我從這本日記的後面撕了幾頁，傳給大家寫信。剩下沒幾個人了。幸好還夠用。

一九一八年十一月二日
法國第二曼徹斯特軍團
親愛的瑞佛斯：

從我上一封信中，你應該明白我仍安好。倘使歡喜的此情此景無以爲繼，請抽空去拜訪我母親，天上的我將感激不盡。去年她在奎葛洛卡認識你，對你頗有好感，而你比多數人更懂得該說什麼——或者更懂得保持沉默。沉默一向是你的絕活，不是嗎？

我的神經運作一切良好，換句話說，以我目前的處境，神經正常的人只有逃走一途，而我不肯。考驗通過了嗎？

比利．普萊爾敬上

信寫得令人心寒，寄給一個對我用心良苦的人，筆調完全不對，可惜沒時間改。

我不敢想莎拉。

十一月三日

地窖裡擠滿人，我的左右肘不停被人輕撞。菸味薰痛我的眼睛，我真心相信，菸如果抽完了，深呼吸就能解解癮頭。幸虧我的菸夠抽一段時日。那天在運河岸慷慨心大發，沒有全送走。那件事今天早上被我拿出來重溫、撕碎、燒掉。另一場河岸聚會等著我——但這一次是世人認可的一種。

奇怪的一天，好像永遠不會天黑似的。小路再往前走，有一座農舍，我們在裡面進行另一場簡報。迎接我們的是一條汪汪叫的小㹴犬，黑白相間，還沒長大，自大得不得了，跑步時縮起一條腿，我乍看之下以為牠瘸腳。農舍裡的小孩說牠沒瘸，從小就有縮腿跑的習慣。他安靜一下子，不過後來又激動起來，又汪汪叫。溫特頓朝我點點頭，我說：「這樣下去不是辦法。」

我親手槍斃牠。我很自豪。在戰壕裡，有時從潛望鏡觀察敵方，看見德軍士兵走著。通常德軍會遠遠守在支援線上。這個德國兵走著，自信沒有危險，脫褲蹲下，正想好好拉一坨屎。見到這樣的敵兵，你狠不下心扣扳機，因為屁股光溜溜的，有一種脆弱無依的感覺，你會覺得一陣冷風吹進自己的股溝，自己被人性基本的同理心制伏。於是，你找來一個哨兵，指給他看，命令哨兵開槍。這樣一來，大家都不必負責任——你沒開槍，開槍的人是哨兵，而哨兵開槍只是聽從長官命令。

但我親手槍斃這條小狗。我拉著牠的項圈，把牠牽進穀倉，牠知道壞事快發生了，翻身露出粉嫩的肚皮，小露一泡尿，以為這些伎倆能解消侵略心。我搔搔牠的耳根說：「對不起，老小子，我是人——我們不搞那一套。」

窩在這裡，體熱瀰漫，我很高興，不只是因為這裡能避風雨。在火邊占到位子的弟兄坐著，軍靴和綁腿布冒出蒸汽。其他人只能扭一扭腳趾湊合湊合。

雖說我不敢想莎拉，我還是時時刻刻想她。我回憶初相識的那天——在墓碑上比賽摔角的荒唐模樣。事後回想那裡的環境，四處簇擁著死亡的氣息，很合適作為戀情起跑點。去墓園之前，我帶她進入那間小酒館，猛灌她波特甜酒，想醉掉她的內褲，她想談強尼之死，我則不想聽。盧斯之役，她說。我記得站在吧台邊，心想，文字不再有任何意義了。愛國心榮譽感勇氣噁心噁心噁心。

仍有意義的只剩地名。蒙斯、盧斯、索姆河、阿拉斯、凡爾登、伊普爾。

但現在，我看看這間地窖，燭火在桌上燃燒，在牆上躍動的是相連的人影，我這才發現，另有一種字眼仍具意義。這一類小字點綴在句子裡，毫不起眼：我們、他們、這裡、那裡。這一型的字是強勢文字，在我們走後多年，他們仍安然躺在語言裡，宛如這片原野上的未爆手榴彈，隨便一顆就能炸斷你的手。

威耶特像嬰兒睡得香甜，不同的是沒有嬰兒會打那種鼾聲。霍葛特正在削馬鈴薯皮。幾杯茶隨便擺，散發消毒水味。有人在劈柴，劈好後丟進爐火，可惜柴太濕，每扔一塊就大減火光的亮度，燒得滋滋響，人臉和眼睛乍暗，接著火舌才舔遍整塊柴薪，火勢再起。我們需要一盆旺盛的火。重感冒在弟兄之間傳開了，人人都在咳嗽、鼻塞。我的喉嚨也開始發癢，忽冷忽熱。我想起河岸上的大老鼠，一隻隻拖著無毛的長尾，一想到那裡的冷水就倒胃口。但我們唱唱歌，講講笑話，每個笑話都覺得好好笑。大家的心情異常愉悅。我想迴避的字眼是「瀕死之亢奮」（fey）。確實有這種元素在。大家都知道機率多寡。

待會兒，我應該把威耶特攆下床，自己儘量睡一睡。

五個月前，查爾斯．曼寧想替我在軍火部安插一份工作，被我婉拒。我說：「……如果、如果、如果、如果我歸建的話，我會坐在掩蔽坑裡面，回想今天下午的對話，在心裡暗罵：『你這個天大的蠢蛋』。」

記得我當時在他家大客廳，坐在椅背是僵硬錦緞的沙發上。

現在呢，我回到法國，坐在算是掩蔽坑的地方。而我看看周遭的臉孔，只有一個感想：不歸建的話，我是徹頭徹尾的大蠢蛋。

第十八章

褐霧籠罩著醫院，一團團硫磺蒸氣在玄關裡飄浮，靜止不動，每當有人進出，硫磺蒸氣會被攪拌成別種花樣。他傍晚出去，到維多利亞車站外的書報攤買報紙，來回急走十分鐘，好讓肺臟透透氣，可惜最近空氣能讓喉嚨產生灼熱感。大家覺得，現在槍砲聲隨時可能停止，所有人都能獲得解放，各過各的私生活。大家都有這份感受，卻又幾乎顯得毫不在意停戰。戰爭接近尾聲，人人雖然期待，此時卻爆發西班牙流感，為喜悅之情罩上陰影，醫院人滿為患。假使這時有人從走廊衝進來，開門吶喊：「戰爭結束了！」瑞佛斯會說：「喔，是嗎？」然後繼續寫筆記。

他看手錶，站起來。該上樓去巡視病房了。

馬斯頓想吸引他的眼光。今早，瑞佛斯巡視病房時有一種印象，認為馬斯頓想問一件事，但礙於場面太拘謹而不便問。今天這一班的人手特別吃緊，瑞佛斯先找羅勃茲修女交代幾句話，然後到馬斯頓病床坐下，隨便找話題聊，等馬斯頓鼓足勇氣發問。馬斯頓的問題相當簡單。他說，一位小醫生來到病房，站在他的床尾，與同事交談，被他聽見「誘發性交反射」。馬斯頓想知道，這句話的意思是不是，他有朝一日——他不願孤注一擲，所以改口——當然不是現在囉——有朝一日吧，是否能恢復性交的能力？「性交」兩字說得淡然、坦率，充滿男性氣概。他指的是「做愛」。他指的是「生兒育女」。嬌妻的相片立在置物櫃上。瑞佛斯故意不看相片，頸部肌肉因此緊繃。瑞佛斯緩緩說，不是那個意思，接著解釋那句醫學用語的本意。馬斯頓聽不進去，但他需要障眼用的文字來躲藏，以便準備接下來該如何反應。馬斯頓以指尖擰捏著被單邊緣。瑞佛斯解釋完畢，他隨意說：「原來是這樣。我就知道是我誤解了。問一下也好。」

一日一狀況。

星光黯淡，視線不明，但即使夜色夠亮，鋼盔之下的臉孔依然難以辨識。普萊爾蹲在十字路口邊的水溝裡，一直看著左手腕內側。他習慣把手錶戴在這裡。二十分鐘前，手錶被士兵帶去對時間。常見的症狀一起出現：口乾、手汗、心跳急促、頻尿、腳冷。英文以「腳冷」來比喻「臨陣畏縮」，既傳神又損人。另一個傳神又損人的比喻是「屁滾尿流」，並不是目前的症狀之一。普萊爾整天猛灌鴉片酊，幾位老手亦然。等這場戰役結束，他會連續拉屎兩星期，但至少今晚他不會丟臉。

他再看手腕，瞥見歐文也有同樣的動作，感應到彼此的煩躁，因此微笑不語。他仰望星空，尋找北斗七星，但心神無法集中。雨雲愈來愈厚。湊什麼熱鬧？幾分鐘後，傳令兵送他的手錶回來。

他戴上，滿心覺得自己又能掌控局勢了——當然是妄想。

接著，全軍前進，幾百士官兵異常靜肅，身影在星光下幾乎遮不黑青草。也聽不見狗吠聲。

病房盡頭的時鐘朦朧一陣，隨後又聚焦。巡房完畢，報告也寫好了，目前的任務只是待命，隨時準備應付緊急狀況，這時的他趕不走瞌睡蟲。羅勃茲修女端給他一杯橙色的茶，糖加太多。他喝一大口。兩人坐在值夜護士站裡。護士全被傳染到流感，根本無人值夜班。兩人對飲太濃太甜的茶，看著病房尾端的綠布屏風。屏風圍住的是哈磊特的病床，正上方亮著一盞燈，在漆黑的病房裡顯得綠光瑩瑩。透過屏風之間的空隙，瑞佛斯看得見一位家屬，一個小男生，年紀在十四、十五上下，應該是哈磊特的弟弟，坐在椅子上扭擰著，因長時間枯等而煩悶，但也知道煩悶的心態不可原諒。

「但願他母親能回家躺一下，」羅勃茲修女說。「她快累垮了。」吸吸鼻子。「那個女孩子，我覺得她屬於歇斯底里型。」

她從來不喜歡別的女生。「是哈磊特的妹妹嗎？」

「未婚妻。」

屏風裡傳來喃喃聲，聽不出字。瑞佛斯站起來。「我最好去看看。」

「要不要請家屬出去？」

「麻煩妳了。一下子就好。」

瑞佛斯推開屏風進去，家屬轉頭看他。自從哈磊特的狀況急轉直下，這家人前來探望哈磊特不走，接力照顧將近三十六小時。哈磊特夫人守在哈磊特的右邊，瑞佛斯懷疑是因爲其他家人認爲他的左臉太恐怖，不願她見狀傷心。左臉最嚴重的部位被遮眼紗布蒙住，但仍清晰可見。中年的父親坐在左邊，職業軍人的他腰桿非常挺拔，儘管以少校退役，他戰時依然穿著軍裝。他有打直肩膀的習慣，據推測他長年受背痛之苦，而非針對眼前的狀況而強打精神。至於這位女孩，她的名字叫做……蘇珊，是嗎？她坐著，手指纏繞著手絹，臉上常掛著一副禮貌、空洞的微笑。置身這家人之中的她原本即將融合爲一家，如今必然理解到，一家親的日子不會到了。傷患的弟弟幾乎是最令人動容的一位。他不善交際、缺乏風度、凡事看不順眼，嗓門有時尖銳到自己也不好意思，有時吵得全病房都聽得見，倔強、叛逆、想引人關愛，因爲如果不這樣做，他怕自己會哭出來。

見瑞佛斯進來，家人全起立，望著他。他從行醫早期就熟悉這種態度。家屬期望他拿出對策。儘管家屬收到病危通知，現在仍希望醫生能「讓他好轉」。

修女請家屬到外面等。家屬退至大走廊盡頭的等候室。

瑞佛斯看著哈磊特。整片左臉向下癱。暴露在外的眼珠深陷眼眶內，張著眼睛，不過似乎缺乏意識。哈磊特的頭髮被剃光，曾經動過手術，留下這到馬蹄形的疤痕。手術部位在化膿的槍傷傷口上方，癒合的情況良好，頗爲諷刺。腦疝脈動著，看似某種奇特的海底生物體，也許像海葵的開口。身體的左側全部癱瘓。即使他的意識夠清醒，能講話，但由於嘴巴向下癱，下顎也受損，因此言語含糊不明。最令家屬驚駭的莫過於這一點。大家引頸聆聽，拚命想瞭解他說什麼，卻一個字也聽不懂。他只能低聲講話，因爲他缺乏揚聲的氣力。現在他又似乎在講小聲話了。瑞佛斯彎腰湊向他，聽一聽，然後直起腰桿，認定是想像力作祟。哈磊特常在床罩底下碎動，原因是右腳踝關節時常抽筋，除此之外全身沒有動作。

你爲什麼活著？瑞佛斯心想。他看著這張屋簷魔雕像似的臉。

套用恩吉魯說的「馬帖」最貼切不過了。「馬帖」意指一死反而比較恰當的狀態。假如恩吉魯在病床邊，恩吉魯會把哈磊特視爲各個層面已死的人，唯一的目標是加速前進眞死的一刻：「馬帖恩達普」，死完成。瑞佛斯撫摸著領章上的蛇杖，未受損的神經將觸感傳導至未受損的大腦，對另一套信念的效忠獲得證實，兩套信念的干戈卻不曾衝破意識的表面。

他爲哈磊特把脈。「好了，」他對修女說。「可以叫他們回來了。」

他看著修女走開，然後覺得，不去見家屬未免太懦弱，因此跟著她進走廊，半路遇到哈磊特夫人。夫人看見瑞佛斯，遲疑一下，但她按捺不住回去見兒子的衝動。蘇珊與弟弟跟在她後面。瑞佛斯在窗口找到哈磊特少校，見他正在猛抽菸，濕熱的霧氣吹進等候室，讓人不忘外面另有一個世界。

「很可悲，對吧？」少校舉菸說。「怎樣？」

瑞佛斯猶豫著。

「快了，對吧？」

「對，快了。」

儘管措辭短促不禮貌，淚水霎時間氾濫了少校的眼眶。他偏開頭，嗓音顫抖。「他一直好勇敢。他一直太勇敢了。」他勉強按捺住情緒。「你認為會拖多久？」

「不知道。幾個鐘頭吧。」

「天啊。」

「繼續對他講話。他記得你們的嗓音，應該聽得懂。」

「我們卻聽不懂他講什麼。太慘了，他顯然是想問什麼，我們卻沒辦法回答。」

兩人一同走回病房，少校在屏風外駐足片刻，打直頸背。床上傳來喃喃聲。「你聽。」少校無助地說。

瑞佛斯跟隨他，從屏風之間走進去，彎腰聆聽哈磊特。病人的聲音很細，口齒不清。「素吱的。」

起初，瑞佛斯只能確定開頭的子音，以為他想說的是「蘇珊」，但音節多一個。他直起身子，搖搖頭。「繼續對他講話，哈磊特夫人。他認得妳的嗓音。」

夫人彎腰向前，面帶羞赧。在這種場合，私事曝光令人不知如何是好，她羞怯地開口，告訴兒子家中的近況，伊莎阿姨遙送親情，麥德琳即將在四月結婚……

蘇珊的嘴唇又掛著同一幅笑臉，硬邦邦、無意義，宛如彿彿驚恐時的咧嘴狀。男孩的臉懼憤交加，因爲他明瞭，淚水隨時會傾瀉而出。他的腦海裡有個不留情的法庭，他如果在病房痛哭流涕，勢必在法庭上被當眾羞辱。

瑞佛斯退下。病患亞當斯每小時需要翻身一次，修女與唯一的勤務員忙著爲他翻身。瑞佛斯坐在夜班護士站的燈光裡，來回望著病房，強迫自己回想每位病人的姓名與病歷，疲憊的頭腦等候時針往下一格移動。

哈磊特病床的屛風亮著綠光，勾起愛迪斯敦島帳篷的往事。在島上，晚上昆蟲特別煩人的時候，他們會把油燈提進帳篷。內急去樹叢解決，回來時看見帳篷大亮，侯卡特的巨人影子映在帆布上。安全感，或者說，是在黑暗邊緣最接近安全感的一種感覺。

在島上的最後一夜，瑞佛斯坐在帳篷外打包行李，身旁排列幾箱子衣物與裝備，以打字機做最後的筆記。侯卡特去島的另一邊，預計幾小時之後才回來。燈光太近，照得他眼睛疲勞，他往後坐，揉揉鼻樑兩旁的眼角，再睜眼時，看見恩吉魯在幾呎外觀望他。他赤腳走來，不發出聲響。

瑞佛斯提起油燈，從桌上移到地上，蹲在油燈旁。他知道恩吉魯坐地上比較舒服。樹叢散發黑黝黝的氣氛。帳篷四周的樹叢盛開一種花，特別能吸引大蛾。牠們直撲油燈的玻璃罩，因此灰灰的蛾翼籠罩恩吉魯與瑞佛斯。

他們聊著。兩人都認識的島民超過四百，從當中挑幾個出來談。聊完後，無言許久而不尷尬。「昆達夷帖說你認識阿委。」瑞佛斯的嗓音壓得非常低，彷彿講話的是樹叢，彷彿他要求恩吉魯喃喃自語即可。

恩吉魯說，與他最初的說法幾乎一致，「昆達夷帖他不說實，他識俗於納納沙的虎說八道。」不同的是，這時他帶有一種微微狂笑的語音，補進一句英文：「他是一個騙子。」

「他確實是騙子，不過我認爲，你是眞的認識阿委。」

瑞佛斯突然想起托勒斯海峽的一件往事。赫東想到處測量頭顱，有一個人義正詞嚴說：「耐心等吧。你遲早會等到我們所有人的頭顱。」回想這件往事並不舒服。瑞佛斯要的不是頭顱，但他想索取的事物至少也同樣神聖。他向前傾身，兩人的影子在樹叢表面跳動、打鬥。「告訴我阿委的事。」

阿委住在伊沙貝爾島，是一個鬼神，也是眾多鬼神，嘴巴很長，吞噬人類無數，所以滿口是血。契塔與馬帖阿納跟他是小巫見大巫，因爲他們只消滅個人，阿委卻殺害「俗於家的所有人」。破碎的彩虹是他搞的鬼，是傳染病與戰爭的預兆。阿委是種族剋星。

驅魔咒語呢？他告訴瑞佛斯，即使是驅魔咒語，也無異於溺水者吐出的最後氣泡。他不只是告訴瑞佛斯，而且擺出他特有的那份治學嚴謹的態度，擺出知識分子不耐煩的神態，堅持要瑞佛斯學習美拉尼西亞的咒語，而且是學習「敬語」形式，教他發音，一直教到字正腔圓為止。瑞佛斯一面努力反覆琢磨發音，一面心想，這才是恩吉魯權力的根基。難怪連勢力最大的酋長在路上遇到他，也一定讓路。

「現在，」恩吉魯抬頭說，態度混合著傲氣與輕蔑，「現在你務必把它寫進你的書中。」

書始終沒寫，瑞佛斯心想。他與侯卡特共同研究愛迪斯敦島，計畫出書卻不了了之，可以說是這場大戰的受害者之一。此時的瑞佛斯望向病房，見到一排排的年輕傷患，有的腦部受損，有的肢體癱瘓，心想，出書不成，跟這些受害者相比不足掛齒。

他曾在皇家學會發表演說，欣然發現，他不必看筆記，就能當場朗誦咒語，依然熟記在腦海。

屏風裡出現一陣騷動。哈磊特開始哭喊，家人正儘量安撫。其他病人紛紛翻身，嘟噥著夢話，被吵醒的人不高興，喃喃聲四起。但他們一發現哭喊聲的源頭，立即停止抱怨。全病房安靜下來。大家臉轉向屏風，彷彿屏風內的戰役事關所有人。

瑞佛斯悄悄走過去。一見他進來，家人又馬上起立。「沒關係，」他說。「不必動作。」他為哈磊特把脈，感覺傷患雙親定睛凝視他。父親眼皮不眨，眼珠布滿血絲，母親的臉色蒼白而激動，嘴巴仍有功能。

「時候到了，對不對？」哈磊特少校低聲問。

瑞佛斯低頭看哈磊特。現在哈磊特完全恢復意識。瑞佛斯暗暗叫慘，天啊，又碰到這一型。他搖搖頭，「快了。」

砲擊預計十五分鐘之後展開。普萊爾與羅布森分食一條巧克力，兩人擠坐在濕冷的雨霧中取暖。吃完，他們開始匍匐向前。由於工兵背著浮橋的材料，必須走小路，因此曼徹斯特軍團只好從積水的平地挺進。雨停了，原本就泥濘的地面現在積水更嚴重，每一片水塘表面都飄浮著一層濃霧。普萊爾告誡自己，不准分心。他以膝蓋與手肘爬行，動作像青蛙或蜥蜴，或者像——什麼都像，就是不像人。先跨出右膝，然後跨出左膝，接著是右膝，然後換左膝，反覆動作，在多肉的青草上潛行，軍靴刮斷草葉，散發出奇濃烈的氣味。即使霧氣濃厚，現在能感覺到光線漸淡，運河穿越單薄的枯樹林的地方透出微光。

無論遭遇任何狀況，切勿退縮。這是軍令。我們被上級綁在木樁上，飛不起來，只能像熊一樣奮戰到底。士兵不出聲，直視前方的霧。此時禁止交談，連悄悄話也不准。普萊爾看手錶，舔舔乾唇，看著秒針移向十五分的位置。四面八方是屏息以待的張力。五點四十三。再等兩分鐘。他把身體再壓低一些，緊咬著哨子。

準時如常，瞬間天下大亂，砲彈從頭上呼嘯而過，閃光陣陣，在排水溝激起水花，大片泥濘被震向半空中。一顆炸彈後勁不足，震撼我軍的地表，石子與土塊如胡椒而下，打在鋼盔上。同樣的景象延續五分鐘，一陣陣震波藉由空氣傳導，撼動臉皮，神情恍惚的弟兄縮頭以對，抬著便橋，衝向前方，準備將便橋搭在排水溝上。五分鐘之後，四方霎時安靜。急吸一口氣，接著又聽見聲響，但聲響來自後方，是砲火傳遍原野的隆隆聲。

普萊爾吹哨子，自己聽不見，管他的，站起來狂奔，以無言的呼喊催促弟兄前進。大家衝向前，奔向一行樹木。普萊爾繼續喊：「維持隊形，維持隊形！左邊不要跑太快！」過橋的要訣是避免隊伍擠成一堆。「維持直線！」但有些弟兄踩進泥淖，有些被草叢絆倒。德軍的炸彈咻咻飛過來，激盪起一大片泥水，接著又來一發。他看見幾個小小的人影倒地，不知道爲何，看起來不太嚴重，他們不像是會受傷的生物。

便橋搭好了，過橋時動作快，講求效率，避免推擠，只聽見軍靴踩踏木板的足音，接著，普萊爾帶兵從樹木後面衝出，進入空曠駭人的河岸。這裡赤裸如眼球，毫無掩蔽物，對岸的機關槍兵安然無恙。普萊爾率兵臥倒射擊，掩護工兵，以利工兵在運河河面架設浮橋，但無人掩護普萊爾這一連。子彈如雨直直落，弄皺運河的水面，弟兄一個接一個倒下。普萊爾看見，身邊一個兵中彈了，不吭聲，一臉訝異，無聲無息，迴身倒地，胸口猶如綻放一大朵血紅花。普萊爾爬向前，朝對岸射擊，無奈濃煙從對岸飄來，他幾乎看不見對岸。工兵仍想盡辦法架橋，以鐵絲串聯浮橋的組件，子彈射中鐵絲，激起火花。混亂之中，雨又來攪局。只剩兩個工兵，曼徹斯特軍團過來接手架橋。寇克趴在木箱上，划水進河面，想掩護工兵，不料自己中一彈，再挨一槍，這次正中臉部，照樣繼續朝著機關槍兵的方向開火。敵軍埋伏在幾呎外的對岸，躲在防禦工事裡。普萊爾帶著彈藥，正要渡河，這時被子彈射中，但他不覺得是子彈，比較像是挨了龐大的硬物一擊，例如警棍或板球拍之類的東西。他不支倒地，一手垂在運河邊。

他擔心再中彈，轉身想爬回排水溝的另一邊，但這裡的毒氣很濃，他搆不到防毒面具。在他腦裡反覆兜圈子的是一些想法，一些平淡無奇、簡單的想法。搞砸了。瘋過頭了。慘了。不痛，只有一種漸漸擴散的麻木感，令頭腦清醒。他目睹寇克斷氣。他目睹歐文死去。歐文被一陣子彈擊中，身體騰空而起，緩緩在空中畫出一道弧線之後才落地，感覺拖了好久才掉下來，普萊爾的意識也隨之飄零。他凝望水中的倒影，子彈陸續射中水面，倒影破碎後又凝結，然後再破碎，麻木感漸漸地擴散，他終於看不見自己。

天色逐漸轉亮，十一月黎明的那種收斂、偏褐的天色。病房另一端的辛普森意識太模糊，無法理解目前的狀況，自顧自地喋喋不休，但其他病人的臉全轉向屏風，人人有力出力，默默支援哈磊特抗戰。

目前爲止，除了重複兩次低語，除了無言的哭喊之外，哈磊特一直不出聲。但現在，他又開始低語，這次音量加大。素吱的。素吱的。一次又一次，音量漸次變大，使勁所有氣力哭喊。母親儘量安撫他，但他聽不見。素吱的。素吱的。一次又一次，每一次比前一次嘹亮，聲聲響徹大病房。

瑞佛斯走進屏風，站在床尾。哈磊特睜著獨眼，直直凝視著他。

「他在說什麼？」哈磊特少校問。

瑞佛斯張嘴想說不知道，這時才恍然大悟。「他想說的是：『不值得』。」

「值得啊，怎麼不值得？」少校握住兒子的一手。少校急慌了。他幾乎語無倫次。

「素吱的。」

哭喊聲再起，把少校的話當成耳邊風，這時其他病人也坐立難安，全場響起一陣喃喃人聲，不是針對哭喊聲抗議，而是支持腦殘嘴麻傷患的無字呢喃。

「素吱的。素吱的。」

「我再也受不了了。」少校說。母親的視線不曾從兒子的臉上移開一秒。她的嘴唇囁動，沒出聲。病人齊聲呼喊著，一直延續，瑞佛斯意識到一股壓力在自己的喉嚨裡醞釀。事後，他無法確定當時能否保持緘默，或是忍不住加入抗議。他事後只記得，當時他雙手緊握床尾的金屬欄杆，握到手痛。

接著，突然結束了。含糊的喊叫聲靜止，頃刻之後，胸腹肌肉出現一種怪動作，宛如脫掉一件太緊的連身工作服。哈磊特死了。

家屬不知他走了。瑞佛斯走向床邊，為他合上獨眼，然後習慣性地看手錶。

「六點二十五。」他向修女說。

他把被單蓋至哈磊特的下巴，將死者的雙手放至兩側，然後默默離開，留下家屬去哀悼。臨走前，瑞佛斯把屏風合得更緊，不料看見蘇珊偏頭，一臉如釋重負狀。他但願沒看見。

在運河畔，曼徹斯特軍團的眼睛仍睜著，手腳仍未被擺至定位，因爲擔架兵已經運走最後的傷兵，不會再回頭收屍。這場戰役已從此地撤退了。成功搭建的浮橋已被一顆砲彈炸斷。在運河的下游不遠處，另一組人馬正強行渡河，但哭喊聲傳至這裡顯得微弱。

旭日東昇了。最初一束晨曦擊中水面，爬向河岸的屍首，在這裡發現一人的手背，在那裡發現一人的頸側，爲失血的皮膚抹上一許瑰紅。隨後，朝陽再也找不到有反應的事物，於是跳過他們身上，開始探測遠方的原野。

略帶瑰紅的灰光從高窗滲入。瑞佛斯癱坐在夜班護士站裡，極力保持清醒。來到夢鄉的邊緣，他聽見恩吉魯的語音，覆誦著驅逐阿委的咒語。

喔，桑比！喔，戈西西！喔，帕拉泊可！喔，葛列泊可！喔，天邊的恩根戈列！下去吧，離去吧。

倏然間，他來了。他置身病房裡，絲毫沒有鬼魅感，不俗於托馬帖，本身特徵一項也不缺。他走在帝國醫院的病房裡，後面是如影隨形的跟班，如同瑞佛斯在愛迪斯敦島沿海小徑常見的恩吉魯。

凡人皆有終點，酋長皆有終點，酋長之妻皆有終點，酋長之子皆有終點——下去吧，離去吧。勿思念跛腳、無手指、喪志的吾人。下去吧，離去吧。啊嗚，啊嗚，啊嗚。

他向瑞佛斯彎腰，以眼瞼半閉的懾人目光凝視瑞佛斯的臉，注視良久。隨後，恩吉魯那張抹著石灰的褐臉遁入病房白天的光線中。

作者後記

讀者也許想進一步瞭解本書描寫的部分眞人史實，以下供讀者參考。

強渡塞柏運河時，十傷馬紹爾中校率領士兵，「無視個人安危」，壯烈殉職，英國政府追贈維多利亞十字勳章。

詹姆士·寇克划水至運河中央，以槍火掩護弟兄，因而捐軀，死後也獲頒維多利亞十字勳章。

在鍾固（Joncourt）戰役中，韋斐德·歐文力奪敵軍機關槍，造成敵軍「損失慘重」，勇氣可嘉，死後獲頒十字勳章。

瑞佛斯在愛迪斯敦島的研究心得散見於幾篇獲刊載的論文，但他與侯卡特計畫合寫的書則始終未曾動筆，其筆記簿收藏於劍橋大學圖書館的珍稀手稿部。

恩吉魯、昆達夷帖、寡婦塔汝、寡婦依美雷、納雷隄、勒姆布、俘虜小童也全是眞有其人，但詳細生平已不可考。

本人毫無保留推薦下列鉅著：

《*W. H. R. Rivers*》，作者Richard Slobodin（Columbia University Press, 1978）

《*Memories of Lewis Carroll*》，作者Katherine Rivers，由Richard Slobodin撰寫引言。（Library Research News, McMaster University, 1976）

《*Collected Letters of Wilfred Owen*》（Oxford University Press, 1974）

《*Owen the Poet*》，作者Dominic Hibberd（Mcmillan, 1986）

《*Wilfred Owen, The Last Year*》，作者Dominic Hibberd（Constable, 1992）

《*Wilfred Owen's Voices: Language and Community*》，作者Douglas Kerr（Clarendon Press, 1993）

《*Wilfred Owen, Poet and Soldier*》，作者Helen McPhail（Gliddon Books in association with the Wilfred Owen Association, 1993）

總導讀

幽靈的凝視

——談派特・巴克《重生》三部曲

張淑麗（成大外文系教授）

戰爭是巴克《重生》三部曲的主要課題。在三部曲中，她以心理醫生瑞佛斯為軸線，講述他與病患之間的心理拉扯與言詞交鋒。故事並不複雜，主要角色亦不多，但三部曲層次分明，分別提出「戰爭科學化」、「社會戰爭化」、「生命政治化」等大哉問。巴克的提問雖尖銳，但她從不急著提供讀者確切答案，僅在部署下多條並行的故事、啓動時空錯置與多元類比效應後，將這些攸關生死存活的大哉問留給讀者自行思索。這些問題到了二十一世紀變得更爲迫切，因爲在生命政治化與戰爭化的時代裡，暴力已經披著文明與民主的外衣，融入日常生活的脈絡中，而我們可能視暴力而不見，甚至誤認暴力爲自由。面對暴力與戰爭的無所不在，巴克的小說帶著讀者由「戰爭」反思文明內蘊的矛盾。

在第一部曲中，巴克由創傷側寫戰爭的荒謬與無謂；在第二部曲中，她聚焦於英國後方，著墨於後方社會的焦慮內耗，藉此烘托戰事膠著所導致的社會認同危機；在第三部曲中，她將場景拉回歐陸戰場，交錯並置前線軍士「不得不殺人」之暴力與太平洋群島獵頭族「欲殺人而不得」之無奈，藉此思考是否唯有透過戰爭的破壞，才能啓動重生的契機。巴克書寫戰爭與暴力，藉此凸顯暴力與人性的內在張力：如果戰爭不但無法避免，甚至可以讓社會重生，我們又如何去看待人性、如何去思考生命，如何去評估這種犧牲個人生命以換取社會存有的價值與意義呢？

第一部曲以瑞佛斯與一次大戰詩人薩松的互動爲主要框架，藉由兩者的論辯，她檢視醫學在戰爭時期所面臨的弔詭與困境：醫學治療與戰爭殺戮的目的並不相容。身爲醫師，瑞佛斯的使命是救人；身爲戰時醫師，他的職責卻是先救活這些病人，再送他們回到戰場：或者殺人，或者被殺。更其甚者，他面對的病人又不是一般的傷患，而是因爲壕溝戰膠著的戰情或而失語、或而歇斯底里的彈震症患者。面對這群以身體抗拒戰爭的病患，瑞佛斯選擇訴諸感性，透過言談治療，來召喚出病患對於留駐歐陸戰場之同袍戰友的同理心，藉此啓動病患的反身自省。念及同生共死的戰友，這些病患自發性地懸置反戰的信念，而寧願選擇返回戰場，爲戰友而戰、爲袍澤而亡。這就導出一個相當詭異的問題：何謂自發性的選擇，難道所謂的抉擇，不過是佛瑞斯操縱病人而誘導出的既定結論。

作爲戰爭文學，巴克的第一部曲《重生》避而不談歐陸戰場的壕溝與戰火，反而將場景拉到遠離歐陸戰火的蘇格蘭軍事醫院，由心理醫師瑞佛斯的角度切入，敘述他與創傷病患充滿張力的對話，具體鋪陳歐陸壕溝戰所造成的各種心理創傷。作為主治醫師的瑞佛斯，從事人類學研究多年，也廣泛涉獵佛洛伊德相關言談治療的理論。瑞佛斯逐一與病患會談，更逐條記錄其心得，使得整本小說讀來頗有細膩演繹佛洛伊德精神分析理論的味道。然而熟悉佛洛依德的讀者，必然會發現巴克與佛洛依德對於創傷的詮釋，仍有大同而小異之處。古典精神分析往往將創傷與突發事件連結，而將創傷視為病患因為無法透過理性思維去「理解」與「詮釋」突發事件時，所採取的自我防衛機制，而創傷的各種癥狀，則不過是病患建構的防禦罩，藉由各種身體癥狀，而將造成創傷的事件隔離於主體記憶之外，藉以自保。古典精神分析將創傷視為知識論的崩盤，而巴克則由第一次世界大戰的歷史脈絡切入創傷理論，將創傷與能動性與自主性扣連在一起。對巴克而言，單一事件固然能以外力突然衝擊之姿，刺穿主體的知識體系，使得主體無法思考，無從思考，進而引爆創傷，但困頓於壕溝裡，既無法前進又無法退後的歐戰軍士所承受的創傷，卻不是單一事件所引爆，而是因為「持續的壓力、行動限制、無助感」而無法喘息，無法言語；也就是說，壕溝戰將這些迷信英雄神話的男人，長期錯置在類似女性的被動與赤裸無助的情境中，而他們展現的精神官能徵狀，創傷顯示出生命的赤裸，也戳破了西方社會自從啓蒙以來所高舉的個人英雄主義迷思。

再者，投入歐戰的英國軍官，多數出身貴族顯赫家庭，飽讀詩書，深受希臘羅馬史詩之戰士英雄神話與同袍情誼之影響，對於戰爭懷抱著一廂情願之幻想，而西方基督神學「犧牲小我以成就大我」的理念，更是根深蒂固。年輕軍人總以為戰爭可以證明自我與凝聚情誼，甚至到了藉由戰事而找到生命意義的地步。戰事的悲慘、枯燥與瑣碎則徹底打破他們單薄的英雄主義與男性神話。陷入幻滅的年輕軍人，以無意識的創傷徵狀來抗議戰爭，然而他們抗議的聲音被瑞佛斯代表的醫學體系所消音了。瑞佛斯以父兄之姿，召喚出他們早已內化的宗教犧牲情懷，使得他們寧願選擇死亡，也不願棄同袍於不顧。瑞佛斯的策略奏效了，薩松選擇歸建。然而，瑞佛斯面對自己「成功」的案例，卻開始懷疑醫學治療的合理性與父權體制的正當性。從醫學的觀點來看，瑞佛斯與薩松相遇，理應由瑞佛斯協助薩松「重生」，然而在薩松歸建前夕，瑞佛斯卻不得不承認，「雖然他的職業是改變病人，自己卻被病人改變了，而且對方還顯然渾然不覺自己改變了醫師」。這樣充滿張力的相知相遇，改造了醫病關係的兩造，凸顯出醫病關係隱而未顯的豐富倫理意涵。

當前方戰事陷入膠著，受困於壕溝的軍士陸續出現心裡創傷徵狀，後方的英國社會亦相對「戰爭化」，彼此指責的聲音陸續出現，全民獵巫行動如火如荼地展開。二部曲的主人翁普萊爾出身勞工階級，曾經就讀於貴族學校，參軍後飽受戰火摧殘，一度甚至夢魘失語。在接受瑞佛斯的治療，重拾語言能力之後，他奉派在軍火部情報處服務，受命滲透進入反戰團體與勞工社群，除了監視勞工領袖的活動之外，並負責蒐集與洩漏情資給軍火部，成為軍火部迫害異議分子的打手。普萊爾奉命監視的勞工團體領袖邁克其實也是他兒時舊識，曾經幫助他度過慘淡無助之年少歲月，兩人情同手足。但在軍方高層的壓力之下，他成為軍火部的抓耙仔，背叛了兒時的摯友，甚至舉報邁克的行蹤，導致他鋃鐺入獄。第二部《門中眼》見證普萊爾掙扎於友誼與職責之間，終於走向崩解，分裂拉扯於支持邁克與鄙視邁克的兩種身分之間。他以自我的分裂來回應戰爭非常時期後方社會雷厲風行的「白色恐怖」，巴克也以普萊爾的的人格分裂，來比喻戰爭時期二元敵友思維所導致的英國後方社會的內耗與分裂。

如果說第一部曲《重生》可視爲巴克與佛洛依德的對話，第二部曲則可視爲巴克對傅柯規訓凝視論的註解與闡述。書名《門之眼》頗爲貼切地捕捉到歐戰時期，英國後方社會所進行的一場慘烈的白色恐怖，而這場白色恐怖的受害者，則是所謂的「內部的敵人」。在歐陸戰事膠著之際，英國社會輿論開始出現以前線官兵爲名、社會安定爲藉口，而針對「異議分子」所進行的輿論箝制與司法制裁。這些導致社會不安的「他者」，包括了反戰分子、工會成員、同性戀者、婦權運動者等等。至此，戰爭已經全然「社會化」，而社會也全面性地「戰爭化」，戰爭無所不在，各種有關政治意識的操作，不但規訓與懲戒前方的軍隊，更以微型政治的形式，透過媒體、司法、科學滲透進入一般民眾的日常生活，導致全民相互監視、相互審查，不但全民都自動自發地參與自我規訓與自我懲戒的社會改造工程，更主動積極地加入獵巫行動。在戰爭時期，生命本身進入政治管理的場域，但凡思想、言詞、身體、甚至生活方式與行爲風格都成爲政治規訓的對象。在《門之眼》中，規訓凝視的主體與客體重疊交錯，規訓凝視的門中之眼，也是全民社會所密切監視與管束的對象。普萊爾正是這種主體與客體重疊的具體代表與受害者；雖然他並未自覺到他的精神分裂，但他常常陷入類似夢遊的「記憶空白」，甚至在這段時間內從事些他在神智清醒時所無法接受的作爲，包括密報邁克的行蹤。普萊爾的雙重人格，已經隱喻英國後方社會的自我分裂與矛盾，而他這種「無意識」的自我分裂，更展現出英國社會的內耗與不知所措。

到了第三部曲，巴克採取雙線發展，交錯並呈普萊爾的戰壕日記與瑞佛斯的人類學雜記。回到歐陸西線戰場的普萊爾，在壕溝中斷斷續續記錄他與同袍之間的互動，筆鋒時而自憐、時而批判、時而自嘲。普萊爾時而高亢，時而沈鬱的敘事，似乎以預言之姿，宣告他與同袍都將成爲這場戰事的犧牲品。普萊爾已然遇見他的未來，但他寧願戰死沙場，選擇成爲瑞佛斯的「成功個案」，也選擇成爲戰場上「不記得、沒感覺、不思考」的殺人機器。作爲戰事犧牲品的普萊爾透過其日記洩漏出他個人作爲戰事祭品的心情感言，而瑞佛斯追憶他在美拉尼西亞的研究筆記，則與普萊爾的戰壕日記彼此呼應，從學術角度，爲戰爭與祭品做了另類的註腳；普萊爾的日記與瑞佛斯的雜記交錯並置，產生時空錯置的類比與反轉的效果。普萊爾筆下的歐陸戰場上無盡的等待與瑞佛斯眼中獵頭族無謂的等待，都代表了政治對生命的介入與制約；在政治的規訓下，所有生命無非都是「裸命」。

巴克對戰爭的處理層次分明，先以地毯式掃瞄的方式，呈現英國社會對於歐戰多元分歧的態度，再透過瑞佛斯的觀點來檢視戰爭的合理性，藉此凸顯瑞佛斯觀點的逐步轉變與自我質疑。在第一部曲中，瑞佛斯已經挪引亞伯拉罕與以撒的故事來質疑西方社會將年輕人視爲安撫眾神的祭品之文化邏輯。在第三部曲中，她更將西方基督教祭品邏輯與獵頭族的世俗祭典儀式並置。在白人殖民者的眼中，獵頭必然是暴力的展現與野蠻的表徵，然而對於獵頭族而言，獵人首級只是傳統文化中例行之儀式，也是獵頭族消耗年輕人過剩精力，確保階級位階與酋長威權的文化工作。在獵頭族的文化中，祭品儀式是嘉年華會的前奏；沒有獵頭行動，就沒有嘉年華會，沒有嘉年華會，就沒有性的衝動與逾越，而獵頭族的人口有因而隨之驟降。一旦白人殖民者禁止了獵頭文化，獵頭族不再有舉辦嘉年華會的藉口，而整個社會也陷入一片死寂，面臨滅族之危機。

在第一部曲中，瑞佛斯以亞伯拉罕奉獻自己的兒子以撒的故事，來批判英國社會犧牲年輕人以成就國族主義的做法，等同戕害了西方文明的根基。在第三部曲中，瑞佛斯進一步比較美拉尼西亞與西方社會的獻祭文化，而發現兩者之最大差別在於西方基督文化的獻祭儀式停駐在象徵層次：亞伯拉罕手上的刀高高舉起，上帝隨即出言制止，可能發生的殺戮與暴力，因而消彌於無形。相對而言，美拉尼西亞的獻祭儀式卻牽涉到血淋淋的殺戮。兩相比較，文明與野蠻之高下立判。然而，歐陸壕溝戰事之慘烈，卻打破了瑞佛斯心目中文明與野蠻的分際，因爲歐戰使得暴力入侵現實，彷彿亞伯拉罕手上的刀已然落下，使得理應繼承西方文明的年輕人相繼戰死沙場。東方與西方、文明與野蠻的差異，也因而模糊不明。再者，美拉尼西亞也一種俘虜幼童的習俗，這些擄來的幼童被當作活的「首級」扶養，當有所需要時，「島民隨時可能向他們索頭」，將他們當作獻祭儀式的祭品。巴克並置美拉尼西亞與歐陸的獻祭與殺戮文化，目的無非在於將殺戮與犧牲放在跨文化之脈絡，藉此以檢視其普遍性。西方社會固然可以透過各種宗教論述來壓抑人性暴力之蘊底，但歐戰的殺戮卻讓文明底層的野蠻無所遁形。

巴克認知到戰爭、暴力、犧牲在文類文明發展中的糾結扞格，既具破壞性，也不失其建設性，然而第三部曲中，除了瑞佛斯的人類學筆記之外，還穿插了普萊爾的戰壕日記，而讓歐陸戰爭中作為犧牲祭品的年輕人得以發抒其心聲。普萊爾的日記洩漏出他欣然赴義的心情，呼應了前兩部曲同樣選擇歸建的薩松的必死決心，也可視為薩松故事的延伸展演。薩松與普萊爾都選擇抱持自我犧牲的情懷，投入與同袍生死與共的情境，但是普萊爾與薩松的自我奉獻與美拉尼西亞的祭品奉獻的最大差異，在於普萊爾與薩松的反身自省與自我抉擇。乍讀之下，自我獻祭與祭品獻祭之間天差地別，然藉由三部曲的層層追述，兩者之間差別又顯模糊，似乎巴克也在透過三部曲來提問，如果透過瑞佛斯醫學治療的介入，而召喚出普萊爾與薩松的同袍情懷（或者愛國情操），這些已然內化的意識形態也讓人質疑所謂的個人選擇，是否已經是受到外力操縱的選擇，而普萊爾與薩松所謂的自主性的選擇，或許也只是獻祭文化邏輯的極致展現。

巴克的三部曲層層深入，雖可個別分開閱讀，但是三者之間相互呼應，彼此辯證。第一部曲演繹古典精神分析，第二部曲展演生命政治的規訓凝視，第三部曲則由宗教與人類學的角度檢視人類為何而戰的相關議題。三部曲不斷提問，也透過醫病對話、戰地日記、醫學筆記的多線並陳，而提出有關暴力、戰爭、權力、生命之間糾結無解的議題。闔上三部曲的最後一頁，讀者不得不承認，政治相關的問題，恐怕永遠無解，與其追問瑞佛斯、薩松、普萊爾誰對誰錯、不如將三部曲視為創傷文學，探索如此的創傷，是否能夠轉換成為「重生」的契機。如果瑞佛斯能夠藉由與創傷軍士的遭逢，而重新思考他的政治理念，檢視他的研究假設，讀者又何嘗不能藉由閱讀三部曲而啟動與文明的創傷性的覺醒與自省呢？

閱讀指南

閱讀《幽靈路》

王新元（英美文學研究者）

巴克（Pat Barker）一次大戰三部曲以《幽靈路》（*The Ghost Road*）（1995）作結[1]。這本小說不僅奪下一九九五年布克獎（Booker Prize），也在二〇〇八年入圍最佳布克獎（The Best of the Booker）決選（shortlist）[2]。小說首先交待普萊爾（Billy Prior）返回法國作戰前，與未婚妻莎拉（Sarah Lumb）共度的短暫親密時光。故事緊接著轉入普萊爾的前線手札，以及瑞佛斯（W. H. R. Rivers）記憶中在美拉尼西亞（Melanesia）的人類學家生活。一方面，小說讓瑞佛斯重返美拉尼西亞，在原始社會的鬼魅、巫術間顛覆對生命的既有體悟。一方面，普萊爾則返回法國作戰，在前線的斷垣殘壁中與戰火掙扎，與同袍時而突襲敵軍、時而藏匿廢墟。小說細膩描寫前線這群不知所措的士兵，如何在一片殘寂中，無情作戰、絕望享樂。小說終於普萊爾的逝去，以及瑞佛斯似有似無的頓悟。至於瑞佛斯的頓悟是有關戰爭的，還是生命的？這是小說最後要問的事。

文本討論

1.在《重生》裡，瑞佛斯與耶蘭（Lewis Yealland）醫生對彈震症（shell shock）有截然不同的看法；小說以耶蘭對彈震症的否認態度，對比瑞佛斯與病人間頻繁的互動，以批判當時社會對精神病（患）存在的質疑。然而，《幽靈路》對瑞佛斯與美拉尼西亞醫生恩吉魯（Njiru）的呈現，卻似乎迫使讀者重思瑞佛斯在第一部曲的形象，爲什麼？

2.當返回前線之日漸近，普萊爾對莎拉的情感有何改變？此時，莎拉代表的是一段戰時難得的羅曼史，還是亂世中乍現的和平圖像？

3.小說開頭引用英國一戰詩人湯瑪斯（Edward Thomas）詩作〈路〉（Roads）的片段，除了呼應《幽靈路》的題名外，似乎也預示了小說的結局。試比較湯瑪斯的詩句與巴克的小說所呈現的死亡想像，思考兩者有何異同？死亡是種解放，還是反抗？

延伸閱讀

Bentley, Nick, ed. *British Fiction of the 1990s*. London: Routledge, 2005. Print.

Clifford, James. *The Predicament of Culture: Twentieth-Century Ethnography, Literature, and Art*. Cambridge: Harvard UP, 1988. Print.

Clifford, James, and George E. Marcus, eds. *Writing Culture: The Poetics and Politics of Ethnography*. Berkeley: U of California P, 1986. Print.

Davies, Alistair, and Alan Sinfield, eds. *British Culture of the Postwar: An Introduction to Literature and Society, 1945-1999*. London: Routledge, 2000. Print.

Felman, Shoshana, and Dori Laub. *Testimony: Crises of Witnessing in Literature, Psychoanalysis, and History*. New York: Routledge, 1991. Print.

Lévi-Strauss, Claude. *Tristes Tropiques*. Trans. John Weightman and Doreen Weightman. New York: Atheneum, 1973. Print. Trans. of Tristes tropiques. Paris: Plon, 1955.

1. 前兩部曲爲《重生》（*Regeneration*）（1991）與《門中眼》（*The Eye in the Door*）（1993）。後者曾獲一九九三年衛報小說獎（Guardian Fiction Prize）。

2. 最佳布克獎爲布克獎四十週年時所頒的獎項，參與評選的作品爲歷屆布克獎得主。

幽靈路

大師名作坊 134

作　　者—派特・巴克
譯　　者—宋瑛堂
主　　編—嘉世強
編　　輯—黃嬿羽
美術設計—永真急制
責任企畫—林貞嫻
校　　對—陳錦生
董 事 長—趙政岷
總 經 理—
總 編 輯—余宜芳
出 版 者—時報文化出版企業股份有限公司
10803台北市和平西路三段二四○號四樓
發行專線—（○二）二三○六—六八四二
讀者服務專線—○八○○—二三一—七○五
（○二）二三○四—七一○三
讀者服務傳真—（○二）二三○四—六八五八
郵撥—一九三四四七二四時報文化出版公司
信箱—台北郵政七九～九九信箱
時報悅讀網—http://www.readingtimes.com.tw
電子郵件信箱—liter@readingtimes.com.tw
法律顧問—理律法律事務所　陳長文律師、李念祖律師
印　　刷—勁達印刷有限公司
初版一刷—二○一四年六月二十七日
定　　價—新台幣二八○元
⊙行政院新聞局局版北市業字第八○號

國家圖書館出版品預行編目（CIP）資料

幽靈路 / 派特・巴克（Pat Barker）著；宋瑛堂譯. -- 初版. -- 臺北市：
時報文化, 2014.06
面；　公分. --（大師名作坊；134）
譯自：The ghost road
ISBN 978-957-13-5981-6（平裝）

873.57　　　　103009347

ISBN 978-957-13-5981-6
Printed in Taiwan